Cestyll yn y Cymylau

Mihangel Morgan

Argraffiad cyntaf: 2007

Dymuna'r cyhoeddwyr gydnabod cymorth ariannol
Cyngor Llyfrau Cymru

Cynllun a llun y clawr: Sion Ilar

Rhif Llyfr Rhyngwladol: 978 086243 979 8
ISBN-10: 0 86243 979 5

Cyhoeddwyd ac argraffwyd yng Nghymru
gan Y Lolfa Cyf., Talybont, Ceredigion SY24 5AP
gwefan www.ylolfa.com
e-bost ylolfa@ylolfa.com
ffôn 01970 832 304
ffacs 832 782

Rhagair

YCHYDIG DROS DDENG mlynedd yn ôl, pan fu farw James Howard Beynon yn 1993, ni wyddai neb am ei ddarluniau. Y llynedd fe werthwyd un ohonynt am $4,570,000. Eleni bydd tri o'i luniau pwysicaf yn cael eu gwerthu gan Sothebys a hyderir y bydd pob un ohonynt yn gwerthu am well na phum miliwn o ddoleri.

Wrth glirio'i gartref daeth ei gyfyrder, gŵr na chyfarfuasai â J Howard Beynon erioed, ar draws yr holl bapurau a lanwai'r tŷ teras mawr uwchben yr hen siop. Credir mai efe oedd y person cyntaf ar wahân i'r artist ei hun, a'i dad o bosib (a fu farw yn 1978), i weld y creadigaethau hyn. Ystyriodd eu llosgi i gyd, ond wedi craffu arnynt a gweld pa mor ysblennydd a chymhleth oeddynt, fe benderfynodd eu dangos i bobl eraill. Hyd llwybrau cordeddog ac aneglur bellach fe aeth y *cache* i Mr Cornelius Hewitt o Oriel Hewitt and Lythgoe, Llundain. Prynodd hwnnw'r cyfan am swm na chafodd ei ddatgelu, ond ni chredir ei fod yn aruthrol o uchel.

Rhoddwyd rhan sylweddol o'r lluniau (ond nid y cyfan o bell ffordd) mewn arddangosfa yn Oriel Hewitt and Lythgoe yn haf 1996 ynghyd â chatalog cain. Cymerasai dair blynedd i gatalogio'r gweithiau yn fras. Roedd yr ymateb i'r lluniau yn annisgwyl a syfrdanol. Roedd y beirniaid celf – myfi yn eu plith

– yn unfryd eu barn fod yma athrylith cwbl unigryw wedi ei ddarganfod. Roedd y cyhoedd hefyd wrth eu bodd gyda'r darluniau mawr pìn ac inc o gestyll rhyfeddol a chywrain. Gwerthwyd pob llun yn yr arddangosfa honno, ac yn gall iawn fe brynwyd rhai gan orielau mawr fel y Tate (a gymerodd wyth ohonynt) ac Amgueddfa Genedlaethol Cymru (a gymerodd chwech, er i mi yn ddiweddarach geisio dwyn pwysau ar y sefydliad i fuddsoddi mewn rhagor na hynny). A diolch i'r Tate a'i hadran fasnachol yn bennaf, y mae delweddau J Howard Beynon wedi dod yn hynod o gyfarwydd i bobl ar gorn eu gwerthu ar ffurf posteri, cardiau post, mygiau coffi, matiau llygoden, crysau-t, tuniau bisgedi, hambyrddau, jig-sos, peli-pwyso-ar-bapurach, ac yn y blaen. Erbyn troad y ganrif prin fod yna unrhyw ystafell myfyriwr heb naill ai boster o un o glociau toddlyd Dalí, llun o Che Guevara neu un o gestyll J Howard Beynon. A deil ei boblogrwydd i gynyddu.

Daeth J Howard Beynon a'i weithiau enigmatig yn fynegiant o alltudiaeth fewnol ein hoes ni. Maent yn siarad â ni ac yn llefaru ar ein rhan ni am ein hunigrwydd cynhenid, am ein teimlad o fod ar goll mewn byd gorgymhleth a dryslyd, ac am ein dyhead i ddianc i fyd symlach, llonyddach. Mae'r gwaith o gofnodi ac archwilio holl waith J Howard Beynon yn parhau, gan ei fod yn artist hynod o doreithiog. Amcangyfrifir ei fod e wedi cynhyrchu darlun cyflawn y mis yn gyson dros gyfnod o ddeng mlynedd ar hugain, o leiaf, sydd yn rhoi inni 360 o luniau – heb sôn am weithiau llai, darnau anghyflawn a llyfrau sgetsio niferus yn llawn darluniau bychain.

Hyd yn hyn, fodd bynnag, ni ddaethpwyd o hyd i'r un ffigwr dynol yn yr holl swm o waith hyn. Darluniau pensaernïol yw'r cyfan ac mae'r diffeithwch dynol hwn yn awgrymu dieithrwch enbyd, afraid dweud; ond fe ymddengys, a barnu wrth boblogrwydd sydyn a chyffredinol y lluniau, taw dieithrwch yw hwn y mae nifer fawr o bobl yn gallu uniaethu ag ef.

Yn naturiol, felly, wrth i waith ac enw J Howard Beynon ddod yn fwyfwy adnabyddus ar hyd y byd, y mae diddordeb ynddo ef a'i fywyd a'i hanes yn tyfu. Ymgais i ateb y diddordeb cynyddol yma yw'r llyfr bach hwn. Gan fy mod yn frodor o'r un dref â J Howard Beynon ac yn hanesydd ac athro celf wrth fy ngalwedigaeth, a'r unig un sy'n perthyn i'r proffesiwn hwn a gyfarfu â'r artist, hyd y gwyddys, credaf fy mod nid yn unig yn gymwys i ysgrifennu ei gofiant-astudiaeth, eithr ofnaf fod arnaf ddyletswydd i wneud.

Gwn fod awduron eraill wedi llunio cofiannau sylweddol eisoes (D Curbishley, N J Quartermaine, Charlotte Kember) a bod eraill â chanddynt gofiannau ac astudiaethau ar y gweill (Anna M Czerwonobroda, Anthony Mazillius, S A Martinez), eto i gyd, fel Cymro, mentrwn awgrymu fod gen i fantais bersonol ar bob un o'r ysgolheigion hyn, gan fy mod yn rhannu'r un gwreiddiau â'r artist ei hun.

Peth arall, wrth gwrs, yw'r ffaith mai Cymro Cymraeg oedd J Howard Beynon, ac ar wahân i ambell erthygl fer arwynebol gan y diweddar Mihangel Morgan yn y cylchgrawn *Barn*, sy'n disgrifio'r gweithiau mwyaf adnabyddus, y llyfr hwn fydd y testun sylweddol cyntaf ar yr arlunydd yn ei iaith ei hun. Wedi dweud hynny, fe gyhoeddir maes o law gyfieithiad Saesneg gan Dr T Robin Chapman, Aberystwyth, yn y gobaith y bydd y cyfraniad hwn yn ychwanegu at ddealltwriaeth ryngwladol o waith a phersonoliaeth J Howard Beynon.

1 Ffeithiau Moel

PRIN IAWN YW'N gwybodaeth am James Howard Beynon, rhaid cyfaddef. Dyma'r ffeithiau moel i ddechrau: fe'i ganed yn Ysbyty Penyrallt, Aberdyddgu, ar yr unfed ar ddeg o Dachwedd, 1933. Roedd ei dad, Edward Beynon, yn cadw siop groser yn Great Portland Street, sef prif stryd Aberdyddgu. Gweithiai ei fam, Margaret Beynon, yn siop ei gŵr. Roedd Margaret Beynon yn bedair ar bymtheg ar hugain pan aned James Howard, ac efe oedd eu hunig blentyn.

Pan oedd y bachgen yn ddeg oed fe laddwyd ei fam yn ystod yr Ail Ryfel Byd, ond nid o ganlyniad i'r rhyfel, eithr pan gafodd ei bwrw i lawr ar yr heol gan lorri un bore niwlog. Daliodd ei dad i gadw'r siop hyd ei saithdegau ac roedd ef a Howard (fel yr adnabyddid ef er pan oedd yn faban, ni ddefnyddid y James erioed) yn byw uwch ei phen.

Ni chafodd Howard unrhyw lwyddiant yn yr ysgol. Disgybl gwan ydoedd ac fe adawodd yn bedair ar ddeg oed heb unrhyw gymwysterau academaidd. I ddechrau aeth i helpu ei dad yn y siop, ond ni allai Howard gyfri'r arian yn ddigon rhwydd, na chario bocsys na sachau trymion, ac ar ben hynny roedd yn rhy swil i siarad â'r cwsmeriaid. Tipyn o anfantais mewn siop brysur. Trwy ei gysylltiadau â rhywun, daeth Edward Beynon o hyd i jobyn bach i'w fab fel gofalwr cyfleusterau cyhoeddus yng nghanol y dref, ac yn y swydd honno yr arhosodd

Howard hyd ei farwolaeth annhymig ychydig cyn ei ben-blwydd yn drigain oed yn 1993.

Prin odiaeth yw'r ffotograffau o James Howard Beynon. Yn wir, hyd yn hyn, ni ddaethpwyd o hyd i'r un llun clir iawn ohono. Mae yna un llun ohono'n blentyn bach yn yr ysgol gyda'i gyd-ddisgyblion, tua'r saith oed. Ond nid yw ei wyneb yn glir o gwbl. Saif ar ben y rhes gefn ar y chwith pellaf, ei wyneb a'i wallt golau yn smotyn gwyn yn yr haul.

Fe ganfuwyd llun o Howard a'i fam gan Mrs Molly Price, chwaer Margaret Beynon, hefyd. Yn y ffotograff hwn saif Howard wrth ochr ei fam ac ychydig y tu ôl iddi ar draeth caregog Aberdyddgu ar ddiwrnod heulog ond gwyntog (a barnu wrth ddillad a gwallt y ddau yn y ffrâm), ac mae'r môr a rhan o'r pier yn y cefndir. Er gwaetha'r tywydd braf mae'r ddau wedi'u gwisgo mewn cotiau a'r rheiny wedi'u botymu hyd eu gyddfau. Ymddengys fod Howard tua'r naw oed, ond mae'n amhosibl cael argraff o'i wyneb am ddau reswm: nid yw'n edrych yn syth i'r camera ac mae'n gwgu ac yn dal ei law chwith dros ei lygaid rhag yr heulwen.

Y ffotograff gorau ohono yw'r un a dynnwyd ar gyfer y papur lleol, *The Aberdyddgu Bugle*, yn 1988, pan gyflwynwyd gwobr i Howard a'i gyd-weithwyr am y toiledau gorau yng ngorllewin Cymru y flwyddyn honno. Yn y llun hwn mae'r cynghorydd Tommy Godwin yn ysgwyd llaw Howard ac yn cyflwyno tystysgrif iddo o flaen y tai bach lle gweithiai'r artist (fe'i henwir fel J Howell Beynion yn y papur). Yn yr olygfa hefyd fe welir rhai o'i gyd-weithwyr, sef Darryl Neville, deunaw oed, a Terry Hodges, dwy ar bymtheg oed. Mae anghyfforddusrwydd a chwithdod Howard dan yr amgylchiadau ffurfiol a chyhoeddus hyn wedi'i barlysu, a phrin ei fod yn gallu codi'i ben. Yr hyn a welir yw ochr ei ên, ei gorun moel a'i wên betrus. Mae'n hanner cant a dwy yn y llun hwn, ond y gwir amdani unwaith eto yw ei fod wedi llwyddo i osgoi rhoi unrhyw syniad inni ynghylch ei bryd a'i wedd. Oni bai i ryw lun neu luniau eraill ohono ddod i'r golwg, y tri ffotograff anfoddhaol hyn yw'r unig argraffiadau o berson J Howard Beynon sydd gennym.

Gan fod y tri llun aneglur yma wedi cael eu chwyddo a'u hatgynhyrchu mewn sawl cofiant arall, ni chynhwysir yr un ohonynt yn y llyfr hwn.

Ni chafodd J Howard Beynon unrhyw addysg na hyfforddiant yn y celfyddydau cain, serch hynny, dengys y gweithiau cynharaf fod ganddo feistrolaeth anghyffredin ar ei 'ramadeg' personol ei hun. Ar wahân i'w gynnyrch misol cyson, fe luniai Howard weithiau penodol ar gyfer achlysuron arbennig fel y Nadolig (yn ei ieuenctid) ac yn arbennig pen-blwydd ei fam. Un o'i ddarnau cyntaf, hyd y gwyddys, yw llun mewn pensil o dŵr sy'n sefyll ar ei ben ei hun â drws neu borth ar y gwaelod ac yn y canol a hynny yn llenwi'r papur hirsgwar (ffwlsgap) i'r ymylon, a chyflwyniad ar y cefn yn dweud 'Penblwydd Hapus Mam, oddiwrth Howard'.

Dyna sefydlu traddodiad a barhaodd hyd yn oed ar ôl marwolaeth Margaret Beynon, hyd blwyddyn olaf bywyd yr artist ei hun. Bob blwyddyn ar 14eg o Fawrth (pen-blwydd ei fam) fe ddarluniai Howard dŵr yn cynnwys yr un elfennau syml yn yr un fformat, ond pob un yn wahanol ac yn gwbl unigryw.

Yn anochel y mae sawl beirniad wedi priodoli arwyddocâd a symboliaeth rywiol Freudaidd i'r tyrau hyn a'u drysau. Yn wir, y mae un awdur (Michelle Pierpoint) wedi rhoi dehongliad rhywiol i holl waith J Howard Beynon. Down yn ôl at y cwestiwn hwn yn nes ymlaen, ond gadewch i mi ddweud yma nawr nad wyf i'n cyd-fynd â'r syniad hwn o gwbl.

Mae'n amlwg fod Howard yn addoli ei fam ac yn agos at ei dad, ac er bod bywyd yr artist yn guddiedig ac yn ddirgelwch ar y cyfan, yr ydym yn gwybod llawer mwy am Edward Beynon. Er bod y nwyddau a werthid yn ei siop gyda'r gorau yn y dref, yr oedd ef ei hun yn ddiarhebol o gybyddlyd.

Arferai Miss Anny Davies, sydd yn naw a phedwar ugain oed nawr, lanhau i Edward Beynon yn achlysurol. Mae hi'n cofio cartref yr artist yn glir:

> Oedd digon o le 'na. Cegin fawr yn y cefn a lan lofft wedyn oedd 'na stafell fyw a phedair stafell wely, a stafell molchi, wrth gwrs. Oedd, oedd, digon o le. Ond llwm oedd e: dim lluniau ar y waliau. Hen gelfi tywyll. Rhai o'r stafelloedd yn wag i bob pwrpas. A doedd Mr Beynon ddim yn peintio nac yn papuro byth. Ac roedd y lle wastad yn dywyll. Doedd e ddim yn fodlon

> dodi bylbiau ym mhob stafell, dim ond y rhai oedd yn cael eu iwso. A doedd e ddim yn licio gwres chwaith: Dim tân, dim tân trydan. Dim ond yn y siop. Oedd e a'r bachgen [Howard] yn gwisgo lot mwy o ddillad yn y gaea: menig – rheina heb flaenau'r bysedd ac yn dodi llwyth o flancedi a cwilts ar y gwely. O'n i'n ffaelu gweithio yno yn y gaea, wath roedd hi'n rhy oer, twel. (Cyfweliad personol â'r awdur.)

Oedd hi'n cofio gweld rhai o luniau Howard? A welodd hi Howard yn tynnu llun erioed?

> O'n i ddim yn gwpod ei fod yn artist. Oedd ei stafell wely yn llawn papurach, a rheina oedd ei bictiwrs, mae'n debyg, ond wnes i ddim disgwyl arnyn nhw a gweud y gwir. Cofiwch, wi'n gweud 'ei stafell wely' ond oedd e ddim yn cysgu yn y stafell honno lle oedd e'n cadw'i bapurach; nace, cysgu oedd e mewn gwely plygu bach wrth droed gwely'i dad. Ar ôl i Mr Beynon farw wnes i ddim galw yno'n aml, wath oedd Howard ddim yn moyn i mi fynd 'na i g'nau. Ond fe wnes i alw unwaith neu ddwy, serch 'ny, ac oedd y papurach yn llanw pob stafell erbyn y diwedd. Ond oedd Howard yn dal i gysgu yn y gwely plygu bach 'na wrth waelod hen wely ei dad. Oedd 'na gruglwyth o bapurach dros wely'i dad pan es i mewn unwaith pan oedd Howard yn dost. (Cyfweliad personol â'r awdur.)

Ceir tystion eraill i'r trefniadau cysgu anghonfensiynol hyn. Gwyddai Molly Price, modryb Howard, amdanynt ac roedd hi o'r farn fod y peth wedi dechrau ar ôl marwolaeth Margaret Beynon pan oedd Howard yn galaru amdani ac yn methu cysgu mewn stafell ar ei ben ei hun. Mae'n bosib fod presenoldeb y mab yn gysur i'r gŵr gweddw hefyd. Ond ceir esboniad arall gan Arthur

Thomas, a gadwai'r siop gig drws nesaf i siop Beynon, mewn cyfweliad â mi flynyddoedd yn ôl pan oedd yn ei wythdegau:

> Oedd yr hen foi'n rhy garcus i dwymo dwy stafell. Oedd hi'n rhatach i gadw un stafell wely ac oedd y ddou'n cadw'i gilydd yn dwym yn y gaea, i raddau, wrth gysgu yn yr un lle.

Cytuna un arall o gymdogion Edward Beynon â'r farn hon. Roedd gan Jenny Phillips ddiddordeb mawr yn Howard. Roedd hi'n iau nag ef ond yn cofio Mrs Beynon, a oedd yn hoff iawn ohoni pan oedd hi'n ferch fach. Arferai Jenny ymweld â Margaret Beynon yn y siop ac weithiau byddai'n galw i'w gweld hi yn ei chartref uwchben y siop. Ar ôl marwolaeth Mrs Beynon cadwodd Jenny mewn cysylltiad â Howard am weddill ei oes.

> Allwn i ddim gweud 'mod i'n ffrind iddo, wath oedd e'n rhy swil i wneud ffrindiau, ond o'n i'n nabod ef a'i dad yn o lew. Ffrind i'r teulu o'n i ac o'n i'n teimlo trueni drostyn nhw ar ôl i Mrs Beynon fynd. O'n i'n teimlo 'mod i'n cadw llygad arnyn nhw ar ei rhan hi, fel petai. Ond doedd Mr Beynon ddim yn licio i neb fusnesa. Hen ddyn mên oedd e, ond wi'n credu bod hynny wedi dod ma's ar ôl iddo gladdu'i wraig. Roedd hi'n golled enbyd iddo, a bu farw hi mor sydyn. Ac yn amlwg roedd Howard yn gweld eisiau ei fam yn ofnadw. Ond doedd dim byd y gallwn i neud. Dim ond galw i'w gweld nhw bob hyn a hyn.
> (*Cyfweliad personol â'r awdur.*)

Oedd hi'n gwybod am waith Howard?

> Welais i ddim un o'r lluniau 'na sydd mor werthfawr nawr. 'Se fe ddim wedi dangos nhw i mi, wath oedd e'n

> rhy swil a phreifat. Troi i mewn nath e ar ôl i'w fam farw a byw yn ei fyd ei hun.
> *(Cyfweliad personol â'r awdur.)*

Mae Jenny Phillips yn un o'r bobl brin a gafodd gipolwg ar fywydau personol Edward a Howard Beynon, ond dim ond copa'r mynydd iâ a welodd hithau. Cadwodd Howard ei ddarluniau cywrain a manwl ac obsesif iddo ef ei hun. Nid yw'n glir i ba raddau y gwyddai ei dad am y lluniau, hyd yn oed. Yn ôl Anny Davies cedwid y "papurach" mewn un stafell, sef stafell wely Howard, cyn i Edward Beynon farw yn 1978. Rhaid bod Howard wedi gweithio ar ei brosiectau pan nad oedd wrth ei waith yn gofalu am y tai bach yn y dref; hynny yw, gyda'r nos, yn y bore o bosib, ac ar y penwythnosau ac yn ystod unrhyw wyliau ac amser rhydd o'r gwaith. Go brin y gallasai fod wedi cuddio'r gwaith yn gyfan gwbl rhag ei dad, ond rhywsut synhwyrir na fuasai Edward Beynon wedi cymeradwyo'r amser y treuliai Howard yn "sgriblan" (gellir dyfalu y buasai Mr Beynon yn defnyddio term o'r fath) ar ei ben ei hun yn ei stafell. Wedi dweud hynny, hwyrach ein bod ni'n gwneud cam â'r tad a'i fod e wedi gwneud popeth o fewn ei allu i feithrin dawn ei fab. Os oedd hynny'n wir, rhaid nodi'r ffaith na cheir yr un cerdyn pen-blwydd i'r tad na'r un darn o waith wedi ei gyflwyno iddo. Ond awgryma A Mazillius yn ei astudiaeth gynhwysfawr (*Changes: Phases and Development in the Mysterious Drawings of J Howard Beynon,* 2001) fod holl waith Howard wedi ei wneud er mwyn plesio'i dad a bod hynny'n ddeëlledig ac felly nad oedd angen iddo nodi hynny.

2 Un o'r Bobl Fach Ddibwys

Y MAE'R RHAN fwyaf ohonom yn euog i ryw raddau o'r duedd i labelu a dosbarthu unigolion mewn pacedi syml: 'Mae ef/hi yn Mr/Miss gwybod-popeth', mae hwn-a-hwn yn hunandybus, hon-a-hon yn snob ffroenuchel, hwn yn 'boring', hon yn dwp, ac yn y blaen. Mae ein categorïau'n hawdd a thaclus, heb yr holl raddfeydd o amrywiadau a chymhlethdodau ac anghysonderau a geir rhwng du a gwyn. Rydym yn dod i'n casgliadau'n sydyn – o fewn ugain munud o gwrdd â pherson am y tro cyntaf, medden nhw – ac anaml iawn yr ydym yn barod i newid ein barn. Ond mae pob un yn fwndel o groes-ddywediadau 'yn gymysg oll i gyd', os cofiaf eiriau ryw fardd yn iawn. Ond sawl un ohonom sy'n cydnabod hynny yn ein hymwneud â phobl yn ein bywydau bob dydd? On'd yw hi'n haws dodi person mewn bocs bach twt a label arno a thaflu'r allwedd i ffwrdd?

Rhaid i mi gyfaddef fy mod i'n gwbl euog o'r agwedd hynod o ragfarnllyd yma yn achos J Howard Beynon. Fel un o frodorion a thrigolion Aberdyddgu, rhaid fy mod wedi ymweld â'r cyfleusterau cyhoeddus yng nghanol y dref ar sawl achlysur. Wrth wneud hynny rhaid fy mod i wedi gweld Howard Beynon. Rydw i wedi f'argyhoeddi fy hunan fod gen i frith gof ohono yn sefyll yn ei swyddfa fechan rhwng drysau'r 'Dynion' a'r 'Merched'. Ond y gwir amdani yw nad wyf i'n hollol siŵr. Yn bendant wnes i ddim sylwi arno, yn wir wnes i ddim meddwl amdano erioed. Ac mae'n eitha posibl – mwy na hynny, mae'n fwy na thebygol – pe gwelswn ef y buaswn i wedi ei anwybyddu neu ei gofnodi yn fy mhen fel dyn bach anneallus a oedd ynglŷn â'i jobyn bach di-nod ond angenrheidiol mewn lleoliad annymunol.

Nid fy mod i'n fy nghyfrif fy hunan yn snob; pwy ohonom sy'n meddwl am y dynion sy'n clirio'r biniau lludw, pwy sy'n sylwi ar y menywod sy'n glanhau'r swyddfeydd, a phwy sy'n cydnabod bodolaeth y rhai sy'n gofalu am y toiledau cyhoeddus? A phwy fuasai'n meddwl fod un (os nad mwy) o'r bobl fach ddibwys a distatws yma yn athrylith a bod ei wir waith – nid ei waith bob dydd yn y tai bach – hynny yw y gwaith oedd yn ei ddiffinio o fewn ei gymdeithas ("Beth yw'ch gwaith chi?" "Dwi'n ll'nau toiledau yn y dre."). Pwy fuasai'n meddwl bod ei wir waith werth miliynau o bunnoedd ac o statws rhyngwladol? Erbyn hyn rydw i'n difaru na wnes i ddim sylwi arno a byddaf yn fy melltithio fy hun am gerdded heibio iddo pwy a ŵyr sawl gwaith heb imi unwaith ddirnad yr artist mawr gerllaw. Sut yn y byd allwn i fod mor ansensitif? Ar y naill law ymfalchïaf yn y ffaith mai myfi, o'r holl bobl sydd wedi ysgrifennu ac sydd yn astudio gwaith J Howard Beynon, myfi yw'r unig un a welodd ef (er nad wyf yn ei gofio'n glir) yn y cnawd; ar y llaw arall rydw i'n grac na wnes i ddim siarad ag ef a'i holi a dod i'w nabod a darganfod ei ddawn cyn iddo farw mewn dinodedd. Gallaswn i fod wedi gwneud yr hyn a wnaeth Ben Nicholson dros Alfred Wallis petaswn i ond wedi bod yn fwy sylwgar, efallai.

Bid a fo am hynny nawr, beth am fywyd beunyddiol J Howard Beynon wrth ei waith bara menyn? Beth am ei waith yn y byd cyhoeddus yn y tai bach cyhoeddus?

Rydym yn gwybod fod Howard wedi dechrau gweithio yn y tai bach yn fuan ar ôl iddo adael yr ysgol ac ar ôl cyfnod byr aflwyddiannus yn siop ei dad, tua'r flwyddyn 1949. Arhosodd yn y swydd ddiymhongar ond gwerthfawr yma am weddill ei oes, bron bump a deugain o flynyddoedd. Am y rhan fwyaf o'r amser yma fe weithiodd ar ei ben ei hun ac roedd ganddo swyddfa fechan, fel y nodwyd yn barod, rhwng adran y 'Dynion' ac adran y 'Merched'. Yno roedd ganddo gadair a bord a lle i wneud te ac yno hefyd y cedwid offer ei waith; mopiau, brwsys sgwrio, bwcedi, poteli o ddiheintydd ac yn y blaen.

Hyd yn gymharol ddiweddar – tan ddiwedd yr wythdegau, dyweder – roedd y cyfleusterau cyhoeddus hyn yn lle digon llwm a diolwg. Cofiaf y waliau brics, y lloriau concrid, y papur tŷ bach sgleiniog, y tsieiniau hir, ac mae rhai o'm ffrindiau a'm cymdogion yn cadarnhau'r argraff anghynnes yma o foelni anghysurus heb arlliw o foethusrwydd yno. Prin y gellid meddwl am fwy o wahaniaeth na'r un rhwng y toiledau llwm lle y gweithiai Howard yn ystod ei ddyddiau a'r palasau ysblennydd a luniai gyda'i ddychymyg yn ystod ei oriau rhydd. Serch hynny, roedd y toiledau hyn yn nodedig o lân bob amser (yn wahanol i doiledau cyhoeddus eraill y dref).

Yna, yn yr wythdegau, fe adnewyddwyd y lle yn

llwyr a rhoddwyd mwy o oleuadau ynddo, peintiwyd y waliau i gyd yn wyn a rhoddwyd paredau a drysau yn y ciwbicls fel na ellid ysgrifennu arnyn nhw'n hawdd, er mwyn lleihau graffiti a fandaliaeth. Darparwyd llefydd arbennig ar gyfer yr anabl a lle i newid clytiau babanod. Yn lle'r rholiau o lieiniau, rhoddwyd peiriannau-sychu-dwylo ar y waliau. Y Cyngor, wrth gwrs, dalodd am y diwygiadau hyn i gyd. Ac un o'r gwelliannau eraill a ddarparwyd oedd ehangu'r gweithlu. Cyn hyn gweithiasai Howard ar ei ben ei hun. O'r wythdegau ymlaen cafodd ei gynorthwyo gan ddau gydweithiwr rhan amser. Go brin y meddyliai amdanyn nhw fel cymorth. Daethai'n hen gyfarwydd â gweithio ar ei ben ei hun heb unrhyw ymyrraeth oddi wrth neb arall.

Fe lwyddais i gysylltu â dau o'r cynorthwywyr hyn, sef Darryl Neville a Terry Hodges, y rhai yn y llun gyda Howard a ymddangosodd yn y papur lleol yn 1988. Fe fu yna gydweithwyr eraill ond nid arhosodd neb yn y swydd yn hir iawn. Nid bod Howard yn anodd cyd-dynnu ag ef, ond oherwydd nad oedd y cyflog yn sylweddol na'r gobaith o ddyrchafiad yn addawol iawn. Swydd dros dro oedd hi i ddynion ifainc heb fawr o gymwysterau ar ddechrau'u gyrfa.

A oedd Darryl Neville yn cofio J Howard Beynon?

> Ydw, dwi'n ei gofio fe. Oedd Terry a fi yn arfer tynnu'i goes e ond doedd e ddim yn licio 'ny. Oedd dim lot o hiwmor 'dag e ac oedd e ddim yn gweud lot. Oedd Terry a fi yn moyn dodi calendar Pirelli lan – chi'n

> gwbod, merched 'da nocars mawr. Ond na, oedd e ddim yn fodlon ar 'ny. Oedd Terry a fi wastad yn siarad ambythtu ffwtbol ond doedd dim diddordeb 'da Howard, oedd e byth yn joino mewn 'da ni. A sa fe ddim yn siarad am beth oedd ar y teli chwaith. Oedd rhai yn gweud nag oedd teli 'dag e ond sa i'n siŵr os oedd hwnna'n wir, cofiwch.

Oedd e'n gwybod fod Howard yn arlunydd?

> Nath e ddim sôn am ei luniau na dangos dim un ohonyn nhw i mi.

Gofynnais yr un cwestiynau i Terry Hodges.

> Oedd e ddim yn gweud lot. Swil oedd e. Oedd Darryl a fi'n meddwl falle bod e'n cwîar, wath oedd e ddim yn lico bod ni'n siarad am ferched. Ond os oedd e'n gweld dynon yn trio cael tipyn o hanci-panci yn y toiledau fe fyddai'r cynta i alw am y plismyn... Wedodd e ddim byd ambytu'i bictiwrs e wrtho i.

Mae cofnod mewn adroddiad moel o'r saithdegau yn cyfeirio at J Howard Beynon fel gweithiwr 'cydwybodol a dibynadwy'. Ac mae datganiad adeg y wobr yn canmol glendid cyson y toiledau yn ogystal ag effeithiolrwydd y gofalwyr (heb enwi Howard yn benodol).

Felly fe weithiodd J Howard Beynon mewn un lle ar hyd ei oes, ac er na fyddai'r gwaith hwn wedi siwtio pob un ohonom, roedd yn gweddu iddo ef i'r dim. Am y rhan fwyaf o'i amser fel gofalwr y toiledau, ni sylwodd neb arno; fe geir yr argraff iddo gael ei anghofio bron – a dyna'i ddymuniad. Doedd y gwaith ddim yn creu llawer o ofid na thyndra yn ei fywyd (er ei fod yn jobyn a allai fod braidd yn 'ych-a-fi' ar brydiau, gellir tybio) ac roedd ganddo'i ystafell fechan ei hun y gallai encilio iddi a chwato rhag sylw pobl. Fe achosodd yr atgyweiriadau i'r cyfleusterau beth dygyfor i'w fyd bach tawel a threfnus, mae'n debyg, a phan ddaeth ychwaneg o ofalwyr i'w gynorthwyo fe gollodd ei seintwar fach bersonol. Ond chwynodd e ddim, hyd y gwyddys. O fewn ychydig flynyddoedd buasai wedi ymddeol. Ond, fel y gwyddys, ni chyrhaeddodd y diwrnod hwnnw pryd y gallasai ymroi yn llwyr i'w wir waith.

3 Adeiladu Coed

OS OES ALLWEDD i ddirgelwch bywyd a phersonoliaeth J Howard Beynon, y mae honno i'w chanfod yn ei ddarluniau, siŵr o fod.

Un o'r pethau cyffredinol am waith yr artist a nodwyd eisoes yw absenoldeb unrhyw ffigurau dynol yn ei luniau. Aeth D Curbishley yn ei fonograff diddorol (*The Uninhabited Towers of J Howard Beynon*, 2003) ymlaen i nodi na cheir unrhyw adar nac anifeiliaid chwaith, hyd yn oed yn yr addurniadau cywrain ar y tyrau. Ond credaf fod teitl astudiaeth Dr Curbishley yn gamarweiniol. Er na welir unrhyw ffigurau o gwmpas yr adeiladau, na'r un wyneb cysgodol yn edrych allan o un o'r ffenestri dirifedi, mae'n amhosibl dweud nad oes neb oddi fewn. Hynny yw, yn nychymyg Howard Beynon mae'n bosib fod rhywun neu rywrai yn trigo yn ei balasau. Darluniau o adeiladau yw pob un o'i weithiau, a diben adeilad yw bod yn annedd neu yn arhosfan i bobl. Yn bersonol, yr wyf i bob amser wedi cael y teimlad fod y strwythurau hyn yn gartrefi i rywun a'u bod yn llefydd cartrefol iawn. Ni cheir awyrgylch gwacter na naws adfeilion anghyfannedd. Brysiaf i ddweud yma fy mod i'n gwybod yn iawn fod y lluniau hyn yn ddarluniau pìn ac inc mewn dau ddeimensiwn ar bapur fflat, o lefydd nad ydynt yn bodoli ond yn nychymyg yr arlunydd, ac mai ffolineb ar un lefel yw gofyn a oes pobl yn byw ynddynt neu beidio. Ond mae'n deg ystyried sut y meddyliai Beynon am ei gestyll. A oedd yno bobl ynddynt yn ei feddwl ef sy'n gwestiwn pwrpasol. Ac mewn ymgais i'w ateb, dof yn ôl at fy nheimlad personol a greddfol fy hun; oes, y mae yma deimlad o fywyd. Bron na theimlir fod yr adeiladau yn bethau byw ynddynt eu hunain a bod gan bob un ei bersonoliaeth, yn wir, ei ysbryd ei hun. Oni bai fod y teimlad yma yn un sy'n cael ei synhwyro a'i rannu gan lawer o bobl, ni chredaf y byddai gwaith J Howard Beynon hanner mor boblogaidd.

Hyd y saithdegau, safai'r adeiladau yn narluniau Beynon ar wahân mewn gwacter heb ddim yn y cefndir – ond eu bod yn llenwi'i dudalennau bron i'r ymylon fel nad oedd fawr o gefndir i'w gael mewn unrhyw ddarlun. Ond tua 1978 fe ddechreuodd Beynon ychwanegu awgrym o dirlun y tu ôl i'w gestyll: bryniau, nentydd, wybren, cymylau ac, yn arwyddocaol iawn, ambell goeden achlysurol. Fe gredid i ddechrau taw dyma'i arbrofion cyntaf i ddisgrifio planhigion nes i'r Athro Anna M Czerwonobroda honni yn ei phapur ardderchog 'The Building of the Organic: "Trees" in the Drawings of J Howard Beynon', a gyflwynwyd ganddi i'r trydydd J Howard Beynon Symposium Rhyngwladol a gynhaliwyd yn Denver, 2003, fod y coed yma mewn gwirionedd yn adeiladau. Fe ffurfiwyd eu boncyffion a'u canghennau a hyd yn oed yr awgrym o wreiddiau gan Beynon mewn unedau o frics. Darganfyddiad mwyaf syfrdanol yr Athro Czerwonobroda oedd bod dail y coed hyn, er mor naturiol yr ymddangosent ar yr olwg gyntaf, yn siapiau neu'n batrymau ffurfiol – sêr, darnau crwn neu hirgrwn, trionglau, sgwariau, hecsagonau, ac yn y blaen. Ar un o'r coed canfu Czerwonobroda siâp y clwb fel mewn pecyn o gardiau. Mae'r coed hyn, gan amlaf, yn bitw iawn, yn bell (fel petai) yn y cefndir, ar y gorwel, ar ymylon y llun. Astudiodd yr Athro gannoedd o'r rhain yn fanwl iawn gan graffu arnynt drwy chwyddwydr cryf, ond ni ddaeth o hyd i'r un enghraifft a oedd yn ddarlun o ddeilen naturiol. Daeth Czerwonobroda i'r casgliad fod hyn yn tanlinellu'r duedd yn holl waith Beynon i osgoi'r byw a'r organig (dim pobl, dim anifeiliaid, dim adar, dim planhigion). Wedi dweud hynny aeth ymlaen i gynnig y ddamcaniaeth taw trosiadau am bethau byw yw ei strwythurau a bod pob un ohonynt yn cynrychioli person, ac o bosib anifail, o fewn ei gylch ei hun. Credai fod y rhan fwyaf o'r adeiladau, yn enwedig y cardiau pen-blwydd a gyflwynwyd iddi, yn cynrychioli ei fam, neu wedd ar ei phersonoliaeth hi efallai, ond bod eraill, mwy na thebyg, yn dynodi ei dad, o bosib, ei gymdogion, perthnasau a chydnabod. Wrth gloi ei darlith dywedodd Czerwonobroda fod cryn dipyn o ffordd i fynd eto i ddadansoddi gwaith yr artist cyn y gellir dod o hyd i gysylltiadau pendant rhwng y darluniau ac unigolion penodol.

Cyn mynd ymhellach, mae'n werth dweud fod J Howard Beynon yn amlwg yn perthyn i'r dosbarth annelwig o artistiaid a elwir yn Allanolyn/ion (*Outsiders*), gan fod ei gymharu ag artistiaid tebyg yn gymorth i ddeall nid yn unig ei waith a'i fywyd ond ei ddulliau a'i dechnegau hefyd.

Efallai na fyddai amlinelliad cryno o'r cysyniad o gelf yr Allanolyn neu yr Encilion yn anghymeradwy yma. Fe fathwyd y term *Outsider Art* mewn llyfr yn dwyn yr un teitl gan Roger Cardinal yn 1972. Yn gynharach na hynny fe ddatblygodd yr artist Ffrengig, Jean Dubuffet, y syniad o *Art Brut* yn y 1940au. Diffiniwyd artistiaid allanol fel rhai sy'n wahanol i'w cynulleidfa ac yn aml yn methu cymathu neu gydymffurfio â'r diwylliant y maent yn byw ynddo. Ymhlith yr artistiaid a labelwyd fel rhai allanol fe geid rhai mewn ysbytai meddwl, cyfrinwyr hunanhyfforddedig, troseddwyr ac, yn gyffredinol, pobl sy'n anacronistaidd mewn unrhyw ffordd.

Archwiliwyd y cysylltiad rhwng gwallgofrwydd a chelfyddyd gan y Rhamantwyr yn y bedwaredd ganrif ar bymtheg. Yna ychydig cyn y Rhyfel Byd Cyntaf fe ddechreuodd yr Hunanfynegianwyr (*Expressionists*) gymryd diddordeb mewn gweithiau celf gan gleifion mewn ysbytai meddwl fel rhan o'u hymchwil am ddulliau amgen a gwahanol i'r rhai traddodiadol, ffurfiol ac academaidd. Cafodd hyn ddylanwad yn ei dro ar arlunwyr fel Picasso a Klee. Dan ddylanwad yr Hunanfynegianwyr fe ystyriwyd gwaith gan gleifion yn nhermau esthetig. Fe ffurfiodd y seiciatrydd Awstriaidd Hans Prinzhorn gasgliad enfawr o waith cleifion. Darganfu'r seiciatrydd o'r Swistir, Walter Morgenthaler, waith y gwerinwr sgitsoffrenig Adolff Wölfli. Yn ei dro cafodd y gwerthfawrogiad newydd yma o waith gan wallgofiaid ddylanwad ar y Swrrealwyr ac fe arweiniodd hyn Jean Dubuffet at ei gysyniad o Art Brut, gwaith celfyddydol a ddeuai o'r tu allan i'r ffrwd arferol, gydnabyddedig.

Nid yw Celf yr Encilion yn cyfeirio at unrhyw arddull na dull na thuedd. Seilir y diffiniad ar ffactorau cymdeithasol neu seicolegol ar gorn gwahaniaeth a gwahanrwydd yr artistiaid hyn oddi wrth y norm diwylliannol honedig. Mae termau Ffrengig diweddarach yn pwysleisio'r arwahanrwydd yma: *Art en marge, art-hors-les-normes, Les singuliers de l'art*. Ceisiai Jean Dubuffet amddiffyn natur anuniongred yr artistiaid hyn. Ni chaniatâi i'w gasgliad yn Lausanne (*Collection de l'Art Brut*) gael ei arddangos mewn unrhyw le arall rhag ofn i'r gweithiau gael eu llyncu i mewn i'r hyn a alwai'n 'syrcas ddiwylliannol o hyrwyddo celfyddyd'. Pan gafodd un o'r artistiaid a ddarganfuwyd ganddo ei ddenu gan 'gylchoedd uchel-ael', fe ysgymunodd Dubuffet y peintiwr hunanhyfforddedig Gaston Chaissac o'i gasgliad, am ei fod wedyn yn 'halogedig gan ddiwylliant'.

Crëir problem i artisitiaid allanol byw os daw eu gwaith i sylw cenedlaethol neu ryngwladol gan eu bod, er yn anfwriadol, yn dechrau symud i mewn a chael eu derbyn gan y brif ffrwd. Mae'n haws diffinio artist o allanolyn fel un dilys pan gaiff ei waith ei ddarganfod ar ôl ei farwolaeth, fel yn achos J Howard Beynon.

Mae'r rhan fwyaf o artistiaid allanol yn gweithio ar eu pennau eu hunain, ac er mwyn plesio neb ond hwy eu hunain, heb unrhyw gydnabyddiaeth nac uchelgais am enwogrwydd nac arian (er bod y sefyllfa'n cael ei newid yn ddirfawr pe 'darganfyddir' un o'r artistiaid hyn gan gylch ehangach a mwy traddodiadol neu fasnachol, fel yn achos Alfred Wallis). Yn aml iawn y mae'r artist allanol yn cuddio'i waith, fel y gwnaeth Henry J Darger (a ysgrifennodd bymtheg cyfrol o ffantasïau, wyth cyfrol hunangofiannol a channoedd o luniau a ddarganfuwyd ond ychydig fisoedd cyn ei farwolaeth) a'r cerflunydd Morton Bartlett (a gadwodd ei gerfluniau o blant dan glo) ac Eugen von Bruenchenhein (a gymerodd gannoedd o ffotograffau o'i wraig ac a beintiodd gannoedd o luniau apocolyptaidd) ac Achilles Rizzoli (yr artist tebycaf i Beynon gan ei fod yntau'n arbenigo mewn darluniau pensaernïol).

Peth arall sy'n nodweddiadol o waith Celf yr Encilion yw'r awydd i gynrychioli'r byd mewn modd amgen. Mae'r artistiaid hyn yn datblygu eu bydysawd ffurfiol sydd yn rowndwal i dirwedd eu bywydau mewnol, er nad yw'r sawl sy'n edrych ar y gweithiau hyn yn deall 'iaith' y byd amgen dan sylw. Yn wir, mae'r artistiaid swil hyn yn tueddu i ddyfeisio systemau gramadegol ac eiconograffig cymhleth ac aneglur mewn ymgais i amddiffyn eu hunain a'u syniadau. Yn *Thoughts on the Question: Why Darger?* [*sic*] dywed J MacGregor, 'a superabundance of material is essential…since [a] definition of outsider art requires that the artist create a vast, encyclopaedically rich, and detailed alternate world – not as art – but as a place to live in over the course of a lifetime.' Yn sicr y mae J Howard Beynon yn cyfateb i'r meini prawf hyn, ac roedd yntau'n ddyn a greodd fydysawd cyfochrog gan nad oedd yn cytuno â chael un dehongliad o realiti yn unig wedi'i orfodi arno. Gwthiodd ffiniau'i greadigrwydd ymhellach o lawer nag artistiaid proffesiynol gan ei fod yn credu'n llwyr yn ei fyd amgen.

Fel yn achos y rhan fwyaf o artistiaid yr Encilion, aeth byd trosgynnol J Howard Beynon ag ef y tu hwnt i wirionedd ei fywyd caled bob dydd. Yn gyffredinol mae'r artistiaid hyn yn bobl sy'n byw mewn tlodi enbyd, mewn carchar neu ysbyty meddwl neu mewn sefyllfa arall sy'n eu cadw ar ymylon cymdeithas (er mae'n gas gen i'r term yma yn bersonol). Wedi dweud hynny mae'n bwysig cofio nad rhyw ddihangdod syml mo gwaith yr artist o allanolyn. Er y gallai amodau byw nifer fawr o'r artistiaid hyn ymddangos yn ddigon annymunol, os nad yn annioddefol, mae'r artist ei hun yn ymateb nid i'w amgylchiadau cymdeithasol yn gymaint ag i ysgogiad mewnol anorchfygol. Gweithia'r artistiaid hyn dan ysbrydoliaeth neu mewn cyflwr trosgynnol ac mae llawer ohonynt yn ysbrydegwyr fel Augustin Lesage a ddisgrifiodd stad ei feddwl wrth weithio fel hyn:

> When I work I feel that I am in an extraordinary atmosphere. If I am alone, as I love to be, I fall into a kind of ecstasy. It's as if everything around me

> were vibrating. I hear bells, a harmonious pealing, sometimes far away, sometimes nearby; it lasts all the time I am painting. But this delightful peal of bells only happens if there is silence; it stops as soon as another noise is heard.

Er nad oedd J Howard Beynon yn ysbrydegydd, hyd y gwyddys, efallai y ceir yma syniad o'r hyn a ddigwyddai iddo ef wrth iddo gyfansoddi'i ddarluniau cymhleth, cywrain a manwl.

4 Ein Pobl

WRTH GEISIO DEALL J Howard Beynon a'r hyn a'i symbylai i weithio ddydd ar ôl dydd, flwyddyn ar ôl blwyddyn, ar hyd ei oes, heb unrhyw dâl na chydnabyddiaeth, byddaf yn edrych ar bobl debyg iddo yn y traethawd hwn o dro i dro, yn y gobaith y bydd un neu ddau ohonynt yn taflu goleuni ar ddirgelwch ei gymhelliad. Byddaf yn canolbwyntio'n arbennig ar unigolion a chanddynt ddiddordeb neilltuol mewn adeiladu neu bensaernïaeth.

I ddechrau hoffwn gyfeirio at Simon Rodia (1879–1965). Llafurwr o dras Eidalaidd-Americanaidd oedd Rodia, yn byw yn Los Angeles yn ardal Watts, llecyn tlawd iawn lle roedd pobl groenddu, yn bennaf, yn byw. Yn y 1920au fe ddechreuodd lunio strwythur hynod o ryfeddol ar ddarn bach o dir yn y gymdogaeth. Defnyddiai ddarnau o ddur, sement, poteli, darnau o grochenwaith lliwgar, cregyn, darnau o beirianwaith – yn wir, pob math o bethau a ddeuai i law. O'r elfennau hyn fe adeiladodd Rodia dri thŵr syfrdanol o uchel, (nid wyf yn siŵr beth oedd uchder tŵr talaf Rodia) ynghyd â thyrau llai. Fe weithiodd Rodia ar y prosiect yma, sef Nuestro Pueblo ('Ein Pobl') am well na thair ar ddeg ar hugain o flynyddoedd. Ar y diwedd, fe drosglwyddodd Rodia'r gweithredoedd i'r darn o dir i un o'i gymdogion ac yna fe redodd i ffwrdd. Pan aeth rhai o'i ffrindiau i chwilio amdano, a dod o hyd iddo yn y diwedd, nid oedd ganddo unrhyw ddiddordeb yn ei waith o gwbl. I'r gwrthwyneb. Ni allai esbonio'i gymhellion. Dywedodd nad oedd yn fwriad ganddo fynd yn ôl i weld ei waith byth eto. "Nag y'ch chi'n deall?" meddai. "Does dim byd yno."

Pan welir y tyrau hyn maent yn creu argraff debyg i bensaernïaeth Gaudí. Ond dim ond siâp cyffredinol strwythurau Rodia sy'n debyg i eglwysi Gaudí; mae'r deunydd crai (fel petai) yn hollol wahanol. Tyrau hirdal, hirgul, pigog, y gellir gweld trwyddynt fel sgerbydau ond na ellir mynd i mewn iddynt; does dim ystafelloedd na lloriau ynddynt. Efallai y gellid eu dringo (diau fod Simon Rodia wedi'u dringo wrth eu hadeiladu). Felly adeiladweithiau yw'r rhain heb unrhyw bwrpas ac eithrio addurno'r ardal lle maent yn sefyll.

Mae swyn enigmatig nid annhebyg i ddarluniau Howard yn perthyn i'r tyrau hyn. A beth oedd pwrpas y tyrau hyn? Ni chomisiynwyd mohonynt, nid adeiladau crefyddol mohonynt, hyd y gellir barnu. Beth am yr enw a roddodd Rodia arnynt? Ein Pobl. Ai ymgais oedd yma i roi i'w gymdogion a'i ffrindiau tlawd rywbeth hardd, cywrain, rhywbeth nodedig mewn ardal ddi-nod?

Fe weithiodd Rodia yn ei amser rhydd, ond fe gyfredodd ei brosiect personol â'i waith bob dydd – yn union fel y gweithiodd Howard ar hyd ei oes gan gario ymlaen â'i ddarluniau yn ystod ei oriau hamdden. Yn achos y ddau artist fe deimlir taw eu creadigaethau oedd eu gwir waith a'r gwaith hwn oedd eu *raison d'être,* ac oni bai am yr ymhyfrydwch yn y llafur cariad yma byddai'u bywydau yn annioddefol. Ond y prif wahaniaeth rhwng

Rodia a Howard yw fod Rodia'n gweithio yn llygaid y cyhoedd – ni allai guddio prosiect mor enfawr â'i dyrau ef – ond fe guddiodd Howard ei waith rhag y rhan fwyaf o'i gydnabod; peth cyfrinachol ydoedd.

5 Gweithiau Anghyflawn

UN O'R ASTUDIAETHAU mwyaf gwerthfawr ar waith J Howard Beynon ond odid yw *Changes: Phases and Development in the Mysterious Drawings of J Howard Beynon* (2001) gan Anthony Mazillius. Dangosodd Dr Mazillius fod yr adeiladau yn narluniau Beynon yn rhai y gellid eu disgrifio'n gyffredinol iawn gyda'r termau hyblyg 'gothig' a 'ffantasmagorig'. Nododd hefyd fod yna debygrwydd trawiadol rhwng y lluniau cynharaf gan yr artist ac adeilad yr Hen Goleg yn nhref Aberdyddgu (a godwyd i fod yn westy crand a moethus ar gyfer ymwelwyr cefnog yn oes Victoria). Aeth ymlaen i ddangos mai amrywiadau ac ymhelaethiadau ar y darluniau cynnar hyn yw popeth a'u dilynodd. Fel y cawn weld yn nes ymlaen, mae yna le i anghytuno â rhai o osodiadau sylfaenol Dr Mazillius.

Dadansoddiad arall sy'n sail i rai o'r damcaniaethau a gynigir yn y bennod hon yw *Yearning Towers: Architecture as Symbol and Sexual Code in the Drawings of J Howard Beynon* (1999) gan Michelle Pierpoint.

Dengys arolwg Mazillius fod rhai o ddarluniau Beynon yn dyddio o'r 1930au pan oedd yr artist yn blentyn a'i fam yn fyw. Ni ddechreuodd ar ei brosiect hunanddisgybledig o gynhyrchu darlun y mis tan y 1950au ac yntau yn ei ugeiniau diweddar. Cynhyrchodd ei gerdyn pen-blwydd cyntaf i'w fam yn 1940, a cheir cerdyn bob blwyddyn ar 14 Mawrth am weddill ei oes wedyn. Ni cheir darlun bob Nadolig; hwyrach fod rhai ohonynt wedi mynd ar goll, ond go brin fod hynny'n wir o gofio fod Beynon wedi cadw bron pob un o'i weithiau gyda gofal obsesif (er iddo ganiatáu i ambell un fynd at unigolion hynod o freintiedig, fel y caf ddangos eto). Esboniad mwy tebygol yw fod agwedd Beynon tuag at y Nadolig yn fwy anwadal. Ni cheir yr un darlun gogyfer â'r Nadolig yn dyddio o ugain mlynedd olaf bywyd Beynon.

Canfuwyd pymtheg ar hugain o lyfrau o faint amrywiol, a phob un yn llawn darluniau llai (defnyddid y ddwy ochr i bob tudalen) o dyrau a chestyll. Ni cheir unrhyw ddyddiadau ar y llyfrau hyn ac mae sawl ymchwilydd wedi ceisio dod o hyd i berthynas rhyngddynt a'r gweithiau mawr cyflawn, heb unrhyw lwyddiant hyd yn hyn. Yn bersonol, credaf fod Beynon wedi defnyddio'r llyfrau hyn yn ystod ei oriau tawel, fel petai, wrth ei waith yn y cyfleusterau cyhoeddus.

Ceir yn agos at 360 o'r gweithiau misol cyflawn – y rhan fwyaf ohonynt, diolch i'r drefn, â'r dyddiadau wedi eu nodi'n gyfleus iawn arnynt o 1952 ymlaen.

Prin iawn yw'r gweithiau anghyflawn ac anorffenedig, ond fel y noda Mazillius, rheiny yw'r darluniau mwyaf datguddiol cyn belled ag y mae deall dulliau gweithio J Howard Beynon yn y cwestiwn. Mae ei ddarlun olaf yn arwyddocaol, sef yr un yr oedd yn gweithio arno cyn ei farwolaeth. Dengys y llun hwn (fel pob un o'r gweithiau anghyflawn eraill y cawn eu hystyried yn fanylach yn nes ymlaen yn y bennod hon) fod Beynon yn dechrau o'r gwaelod ac yn gweithio i fyny gan lenwi'r tudalen wrth fynd yn ei flaen, bob yn dipyn bach. Mae'r awydd yma i ddefnyddio pob tamaid o le sydd ar gael yn nodweddiadol o artistiaid yr Encilion.

Mae'r rheswm dros adael y gwaith olaf yma yn amlwg ac yn anochel, ond mae'n anos dweud pam y gadawyd gweithiau eraill yn anghyflawn. Dywed Mazillius fod o leiaf wyth ohonynt i'w cael, a pherthyn i bob un o'r rhain ryw ddirgelwch hudol. Gan nad oes unrhyw ddyddiad ar yr un ohonynt, a chan nad oes newid na datblygiad chwyldroadol yn arddull Beynon yn ystod ei yrfa (oni bai am gynnwys tirlun o 1978 ymlaen), mae'n anodd dweud pryd y dechreuodd y prosiectau hyn a pham y rhoes y gorau iddynt. Awgryma Mazillius fod Beynon wedi cwrdd â rhyw broblem dechnegol fewnol fel na allai fynd yn ei flaen. Am ryw reswm, ychwanega Mazillius, nid oedd y cyfansoddiadau wedi tyfu yn unol â dymuniadau neu amcanion yr artist, ond mae'r rhwystredigaeth neu'r maen tramgwydd yn guddiedig i bawb ond i Beynon ei hun. Iddo ef, nid oedd y gwaith yn cyrraedd ei safon bersonol neu ynteu roedd yn anghywir o fewn ei "ramadeg" dirgel ei hun.

Ond os yw'r ddamcaniaeth hon yn wir, onid yw'n deg gofyn beth aeth o'i le ar ganol y darnau hyn pan aethai pob un o'r gweithiau eraill ymlaen yn iawn? Mae rheolaeth Beynon ar ei gyfrwng yn syfrdanol. Fel y nodwyd uchod mae'r gweithiau cynnar yn dangos yr un feistrolaeth fwy neu lai â'r rhai diweddaraf, heb unrhyw 'gyfnodau' amlwg. Ac mae prinder yr enghreifftiau sydd heb eu gorffen yn arwydd o lwyr reolaeth yr artist dros ei dechneg. Mae'n anodd i mi dderbyn ei fod yn cael ei lorio gan unrhyw "broblemau mewnol" na allai eu goresgyn neu eu trechu.

Yr wyf i o'r farn taw rhyw amgylchiadau allanol oedd yn gyfrifol am fethiant Beynon i ddod â'r darnau hyn i ben, ac mae eraill yn cytuno â mi (Christopher Murch, 'Unfinished Pieces', *Transactions: 2nd International J Howard Beynon Symposium*; N J Quartermaine, *J Howard Beynon: A Hidden Life,* 2002). Dyfala Quartermaine, er enghraifft, fod cymaint ym mywyd Beynon yn dibynnu ar drefn a chysondeb, rhaid bod rhywbeth neu rywun wedi amharu ar hynny o bryd i'w gilydd a gellid tybio fod hynny wedyn wedi effeithio ar ei waith. Noda Murch fod cwblhau prosiect yn amlwg yn bwysig i Beynon, ac mae'r ffaith ei fod wedi cadw'r darnau anghyflawn hyn yn arwyddocaol (er ei fod yn cydnabod y posibilrwydd fod darnau anghyflawn neu anfoddhaol eraill wedi cael eu dinistrio ganddo). Cred Quartermaine taw rhywbeth emosiynol a achosodd i Beynon roi'r gorau i bob un o'r gweithiau-ar-y-gweill dan sylw, ond tybia Murch fod rhywbeth neu rywun wedi torri ar draws esmwyth rediad rwtîn yr artist. Chwilio rydyn ni yma am ryw *'person from Porlock'*, fe ymddengys.

Ond hoffwn gynnig damcaniaeth yma. Os oedd yr

adeiladau yn narluniau Beynon yn cynrychioli person yn ei fywyd, beth pe buasai'r unigolyn hwnnw'n marw ac yntau ar ganol darn o waith wedi'i gysegru iddo/i? Ystyriais y profedigaethau a ddaeth i ran J Howard Beynon. Bu farw ei fam yn 1943, wrth gwrs, a'i dad yn 1978. Wrth feddwl am hyn rydym yn sylweddoli yn syth taw cyd-ddigwyddiad rhyfeddol yn unig fyddai hi pe bai'r gwaith yr oedd wrthi'n ei lunio ar y pryd yn cynrychioli'r sawl a fu farw ac ni fyddai hynny wedi digwydd wyth neu ragor o weithiau. Mae'n haws derbyn bod unrhyw farwolaeth yn torri ar draws ei waith cyfredol fel y byddai'n rhoi'r gorau iddo. Marwolaethau eraill a allasai fod wedi cael effaith arno yw marwolaeth ei gefnder Alwyn Price yn naw ar hugain oed yn 1963; Robert Watkins, a weithiai yn siop ei dad, naw a deugain oed, 1972; a Miss Ethel Beynon, chwaer ei dad, pedwar ugain, 1979. Wrth gwrs, bu farw perthnasau, cymdogion a phobl eraill yn y fro, ond mae'n anodd dweud a oedd ganddo feddwl am rywun/rywrai arall/eraill yn y cylch ac i ba raddau yr effeithiai'r colledion hyn arno.

Cofia Jenny Phillips weld Howard yn angladd ei dad, ac yn un ei fodryb; 'Nid oedd i'w weld dan deimlad ofnadw,' meddai.

Astudiodd Rebecca Tullett y gweithiau anorffenedig yn ofalus a dod i'r casgliad eu bod yn perthyn i'w gilydd ac yn perthyn gyda'i gilydd ('The Question of the Uncompleted Pieces', *Transactions 3rd IJHBS,* 2003). Credai hi fod y darnau'n anghyffredin o debyg i'w gilydd a bod hynny'n awgrymu'n gryf iddynt gael eu dechrau tua'r un pryd ac am ryw reswm na allai Beynon gario ymlaen. Damcaniaetha Tullett ein bod yn chwilio am un *'person from Porlock'* yn lle wyth neu ragor. Ond er mor gryf yw dadleuon Tullett, dangosodd Mazillius ('Points of Similarity, Points of Difference', *Transactions 4th IJHBS*, 2004) y gellid dod o hyd i'r un manylion o debygrwydd a welsai Tullett yn y gweithiau anorffenedig mewn nifer fawr o weithiau gorffenedig eraill gan gynnwys enghreifftiau yn dyddio o wahanol gyfnodau.

Ond credaf fod y syniad o un achos i rwystredigaeth Beynon yn werth ei ystyried o ddifrif. Mae'n bosibl taw rhyw ddigwyddiad mawr trychinebus oedd achos anallu Beynon i gario ymlaen â'i waith dros dro, ond wedi dweud hynny mae'r un mor ddichonadwy taw rhywbeth bach a dorrodd ar draws esmwyth rediad ei fywyd beunyddiol oedd y rheswm dros yr egwyl yma. Prin y cymerai Howard Beynon sylw o ddigwyddiadau mawr y byd – doedd dim radio, heb sôn am deledu, yn ei gartref – felly mae'n annhebyg mai ymateb i rywbeth fel trychineb Aberfan neu'r rhyfel yn Fietnam a'i hataliodd. Os yw tystiolaeth Jenny Phillips yn gywir, mae'n dal i fod yn anodd barnu pa mor ddwfn yr effeithiai profedigaeth ar Howard, ond cawn yr argraff ei fod yn gallu cario ymlaen er gwaethaf unrhyw alar.

Synhwyraf y byddai rhywbeth a amharai ar amserlen yr artist yn debycach o gael effaith andwyol ar ei greadigrwydd. Mae'n bosibl y buasai'r adnewyddiadau i'r cyfleusterau cyhoeddus lle y gweithiai yn yr wythdegau, ynghyd â'r newidiadau yn amodau ei waith, ac yntau'n gorfod cynefino â gweithio gyda phobl eraill am y tro cyntaf yn ei oes, yn siŵr o fod wedi peri cryn ysictod i'w hunanfeddiant bregus. I'r bennod yma yn ei fywyd y byddwn i'n dyddio'r gweithiau na allai Beynon mo'u dirwyn i ben. Yna, unwaith y daethai i arfer â'r drefn anorfod newydd, fe ddechreuai'r llifeiriant creadigol unwaith yn rhagor. Wrth gwrs, mae'n anodd profi'r ddamcaniaeth hon, ond hyderaf fod mwy o le i'w derbyn nag i chwilio am bersonau o Porlock a allai fod yn helfa sgwarnogod neu'n rhithiol, beth bynnag.

Cymer Michelle Pierpoint 382 o dudalennau yn *Yearning Towers* i gyflwyno'i theori fod pob tŵr yn narluniau Beynon yn symbol ffalig, a bod pob drws a ffenestr yn symbol gweiniol. Mae'n rhyfeddol sawl un sydd wedi llyncu'r syniad hwn a'i dderbyn fel deddf. Ydi, mae J Howard Beynon yn *'easily Freudened'*. Ond mae pob tystiolaeth sydd gennym gan y rhai a oedd yn ei adnabod, ynghyd â thystiolaeth fewnol ei waith ei hun, yn awgrymu fod Beynon yn un o'r creaduriaid prin rheiny nad yw rhyw na rhywioldeb yn mennu dim arnynt. Mae'n bosibl fod ei waith creadigol yn cymryd lle ei rywioldeb, neu'n gwneud iawn am ei ddiffyg rhywioldeb, ond yr unig beth sydd gennym yw cannoedd o ddarluniau mewn ysgrifbin ac inc du sy'n gwbl amddifad o unrhyw elfennau erotig. Maent yn ingol o hiraethus, maent yn swynol ac yn hudol ac yn bruddglwyfus, ond credaf fod y sawl sy'n gweld arwyddocâd cnawdol yn y darluniau hyn yn datgelu mwy amdano ef neu amdani hi ei hun nag am waith J Howard Beynon.

6 Darganfyddiad

GAN NA ADAWODD J Howard Beynon nemor ddim ar ei ôl ar wahân i'w ddarluniau, prin yw'n gwybodaeth amdano. Does gennym ddim dyddiaduron, ac fel y nodwyd eisoes prin oedd y rhai oedd yn ei nabod yn dda. Nid yw'n hysbys inni a oedd ganddo unrhyw ddiddordebau heblaw am ei waith celfyddydol. A oedd ganddo unrhyw hobïau, beth oedd ei hoff lyfrau, ei hoff luniau, beth oedd ei hoff gerddoriaeth? A ymhyfrydai mewn chwaraeon, garddio, cerdded? Yr ydym yn weddol sicr na theithiodd Howard i unrhyw wlad dramor, ond mwy na hynny mae'n ymddangos yn eithaf tebygol na adawodd Aberdyddgu a'r cyffiniau erioed. Mae'n bosibl ei fod wedi ymweld â rhywle arall yng nghwmni ei rieni pan oedd yn grwtyn bach (er na ellir profi hyn) ond fel oedolyn arhosodd yn Aberdyddgu. Ni fu erioed mewn car na bws nac ar drên, hyd y gwyddys. Cyfyngodd ei deithio i gyd i'r hyn y gallai ef gerdded. Ni allai reidio beic na cheffyl, ac er mor agos yw'r môr at ei filltir sgwâr, ni allai nofio.

Gan fod ei fydolwg mor gul, buan y disbyddwyd yr hyn y gellid ei ganfod amdano wrth graffu ar fywgraffiad Beynon ei hun. Ni cheir fawr mwy o wybodaeth ychwanegol gan y sawl a oedd yn ei adnabod gan fod y rheiny'n nifer fechan ac ychydig iawn o oleuni y gallant hwy ei daflu arno, beth bynnag. Mae hyn yn golygu fod y rhan fwyaf o ysgolheigion sydd â diddordeb yn J Howard Beynon (nifer sy'n tyfu bob dydd) wedi canolbwyntio'u holl egni a'u hadnoddau ar ei waith. Yn ddiweddar mae Aberdyddgu wedi dod yn gyrchfan ac yn bererindod i filoedd o bobl sy'n caru ei waith – ac yn sgil hynny mae caffis a chanolfannau a siopau wedi "madarchu" yn y dre hon gan werthu printiau o'i luniau, llieiniau te, crysau-t a llestri â'i luniau arnynt, heb sôn am fisgedi, sebon a modelau adeiladu'ch hunan o'i dyrau.

Rwy'n fy nghyfrif fy hunan yn lwcus, felly, i mi achub y blaen ar agor y llifddorau hyn, ac yn yr ychydig flynyddoedd rhwng darganfod gwaith J Howard Beynon gyntaf a'r poblogeiddio mawr ohono, fe wnes i sawl darganfyddiad pwysig iawn y mae'n bleser gennyf eu datguddio yn y gwaith hwn, a hynny am y tro cyntaf erioed.

Yn 1994, mewn siop pethau ail-law ar Stryd y Farchnad, Aberdyddgu, fe ddigwyddais sylwi ar lun wedi'i fframio yn pwyso yn erbyn y wal y tu ôl i ford a nifer o hen gadeiriau (nad oedd yn perthyn i'r ford nac i'w gilydd). Llun ysgrifbin ac inc du o dri thŵr ochr yn ochr ac yn llenwi'r tudalen a oedd tua maint A3 (maint y rhan fwyaf o luniau Beynon, gyda llaw). Fe'i prynais am bymtheg punt, er bod y label yn dweud ugain (ar ôl peth bargenna ar gorn niwed i ffrâm y llun y cefais y gostyngiad).

Roedd hi'n amlwg i mi o'r eiliad y gwelais y llun gyntaf fod hwn yn un o luniau Beynon, yr artist a oedd newydd gael sylw am y tro cyntaf yn y wasg ar ôl darganfod cynifer o'i weithiau gan Cornelius Hewitt (hynny yw, cyn yr arddangosfa fe gyhoeddwyd ffotograffau o ambell lun mewn cylchgrawn ar y celfyddydau cain yr wyf i'n digwydd bod yn danysgrifiwr iddo).

Rwyf wedi cadw'r llun hwn yn gyfrinach tan yn awr, ac mae'n un o'r ychydig o weithiau J Howard Beynon sydd heb eu catalogio eto, ond rwyf yn berffaith sicr taw un o'i weithiau gwreiddiol ef ydyw. Heb sôn am y ffaith fod holl nodweddion a dilysnodau arddull Beynon yn perthyn i'r gwaith, mae'r holl gyfansoddiad wedi'i hydreiddio gan ei law unigryw ef. Ni cheir dyddiad, mae'n wir, ac mae hynny'n arwyddocaol. Ni roddai Beynon ddyddiad ar bob un o'i luniau, dim ond ei luniau misol a'i ddarluniau pen-blwydd a gweithiau achlysurol eraill. Nid un o'r rheiny mo'r llun hwn, a dyna pam, hefyd, nad oedd y llun yma wedi'i gadw yng nghasgliad personol Beynon ei hun. Pan dynnais y ffrâm hyll a tsiep i ffwrdd (ni fframiai Beynon ei luniau) ar y cefn yn llaw Howard oedd y geiriau, 'i Alwyn, oddi wrth Howard, i ddiolch am gymwynas.' Mae'n werth nodi cyn mynd ymhellach fod yr arysgrifiad hwn yn Gymraeg, gan fod rhai yn amau Cymreictod Howard; mae'r rhan fwyaf o'r ysgolheigion sy'n arbenigo ar waith Howard naill ai wedi anwybyddu'r agwedd hon neu'n anymwybodol ohoni.

Pan ddaeth y llun hwn i'm dwylo i nid oeddwn yn ei

lawn werthfawrogi. Oeddwn, roeddwn i wedi darllen am y darganfyddiad o'i waith yma yn Aberdyddgu (Cornelius Hewitt, 'The Finding of a Great Hoard of Pen and Ink Drawings By an Outsider', *The Painter,* 1994), ac er bod diddordeb cynyddol yn ei waith ar y pryd ni fyddai neb yn 1994 wedi gallu darogan eu gwerth ymhen degawd. Cedwais y llun o ran diddordeb personol i ddechrau. Fe'm synnwyd ganddo a dyna sut y dechreuodd fy niddordeb yn Beynon. Hyd yn oed yn 1996, pan gipiwyd rhai o luniau Howard gan y Tate, y Tate Modern ac Oriel Genedlaethol Cymru, nid oedd hi'n amlwg fod gwaith yr artist yn mynd i fod mor boblogaidd ac y byddai'n troi'n ddiwydiant enfawr 'dros nos' ys dywedir. Pan welais ysgolheigion a beirniaid celf o fri yn dod i Aberdyddgu yn unswydd er mwyn dysgu mwy am J Howard Beynon y deffroais i'r angen i'w gymryd o ddifri fy hunan a dyna pryd y cychwynnodd fy ngwaith ymchwil personol.

Fe aeth blwyddyn neu ddwy heibio, felly, cyn y gallwn fwrw amcan pwy oedd yr Alwyn y sonnir amdano ar gefn y llun o'r tri thŵr. Bu'n rhaid i mi gymryd sawl cam gwag cyn cael fy hunan ar ben y ffordd. Ni sylweddolwn cyn lleied oedd yn wybyddus am fywyd Beynon. Doedd hi ddim mor hawdd â gofyn i un o'r awdurdodau newydd, hunanapwyntiedig ar Beynon, 'Pwy oedd yr Alwyn 'ma?' Roedden nhw, a minnau hefyd, yn ymbalfalu yn niwl enigmatig Beynon. Buan y deallwn fod gen i, fel brodor o'r un dref â'r artist, fantais dros yr ymchwilwyr eraill. Roedd yn rhaid i mi ddod yn awdurdod arno ar fy mhen fy hun yn lle aros am eraill i gywain yr atebion ynghyd. Drwy siarad â phobl a oedd yn nabod Beynon a'i deulu (Anny Davies, Arthur Thomas, Jenny Phillips ac eraill) y dysgais yr hyn rwyf yn ei wybod amdano, nid drwy ddarllen cofiannau pobl fel Pierpoint.

Alwyn Price, rydw i'n barod i fentro, oedd yr un y cyfeirir ato yn y cyflwyniad ar gefn y llun. Bu farw cefnder Howard yn 1963 dan amgylchiadau trist iawn – rhai a barai chwithdod i'w berthnasau fel nad oedd hi'n hawdd cael gwybodaeth amdano. Ond fe ddangosodd y dyddiad y bu farw Alwyn fod y llun hwn yn un o ddarnau cymharol gynnar Howard.

Mae Alwyn Price bron â bod yn gymaint o ddirgelwch â'i gefnder, ond am resymau gwahanol. Ail fab Molly a David (Dai) Price oedd Alwyn. Gweithiai ar fferm ei dad, ond doedd ffermio ddim at ei ddant ac yn ôl y sôn roedd yna gryn dyndra rhyngddo ef a'i dad. Yn wahanol i Howard, roedd yn greadur cymdeithasol a hoffai ddianc i'r dref bob cyfle a gâi. Gan nad oedd car ganddo fe ddibynnai ar ffrindiau a pherthnasau am rywle i aros dros nos yn y dref pan gollai'r bws olaf adref. Ni châi fawr o groeso gan Edward Beynon, yn enwedig os bu'n yfed, ond mae yna le i gredu fod Howard wedi cuddio Alwyn yn y stafelloedd uwchben y siop, heb yn wybod i'w dad, ar fwy nag un achlysur.

Ond fe aeth pethau yn drech nag Alwyn a oedd yn greadur ansefydlog, nerfus ac anhapus, ac fe ganfuwyd ei gorff ar lan y môr yn 1963. Er i'r cwest gofnodi ei farwolaeth fel damwain, mae'n eithaf posibl, os nad yn debygol, ei fod wedi gwneud amdano'i hun drwy neidio oddi ar y clogwyni i'r creigiau islaw un noson mewn pwl o anobaith.

Beth oedd natur y berthynas rhwng Howard ac Alwyn? Amhosibl dweud. Beth oedd y gymwynas y diolchodd Howard amdani gyda'r llun a roes i Alwyn? Unwaith yn rhagor, mae'r ateb i'r cwestiwn hwnnw wedi mynd ar goll yng nghaddug y gorffennol.

Hoffwn gynnig damcaniaeth, fodd bynnag. Prin iawn oedd y rhai a wyddai am luniau Howard ac anaml iawn y dangosai'i waith i neb. Roedd Alwyn yn freintiedig iawn, felly. Roedd hi'n anodd, os nad yn amhosibl, i Howard gyfathrebu â neb, ffaith sydd wedi arwain ambell feirniad i ofyn a oedd yn awtistig neu a oedd yn dioddef Sindrom Asperger. Yn ei hastudiaeth wych – yn wir, un o'r pethau mwyaf gwerthfawr a ysgrifennwyd ar Beynon hyd yn hyn, sef *J Howard Beynon [:] A Modern Bartleby* – dadleuodd Dr Charlotte Kember nad oedd Beynon yn dangos unrhyw nodweddion awtistig nac Asperger mewn gwirionedd. Ac yr wyf i wedi cael f'argyhoeddi yn llwyr gan ei thystiolaeth, er bod eraill wedi anghytuno'n ffyrnig â hi (de Gaunza, Herbert, Murch, Quartermaine, Martinez, Mihangel Morgan).

Dyma fy namcaniaeth i. Am ryw reswm, fe rannodd Howard ei gyfrinach ag Alwyn. Hwyrach fod Alwyn wedi dod ar draws y lluniau pan oedd yn cwato yn y stafelloedd uwchben y siop un noson, wedi ei guddio yno gan Howard, heb yn wybod i Edward. Ai'r gymwynas yn syml iawn oedd ei werthfawrogiad o'r lluniau drwy beidio â sôn amdanynt wrth Edward Beynon? Wrth gwrs, ni ellir profi'r ddamcaniaeth hon, ond rwy'n ffyddiog ei bod hi'n weddol agos i'w lle.

Y mae llun Alwyn yn anorfod yn wahanol i'r lluniau misol. Dyma ymgais brin, os nad unigryw, ar ran Beynon i ymestyn allan i'r byd y tu hwnt i'w orwelion cul arferol.

O'r lluniau misol y mae tua thraean ohonynt yn dangos tŵr unigol. Amrywia'r gweddill rhwng lluniau o dri thŵr ochr yn ochr, neu bump, saith neu naw. O'r cyfuniadau hyn, y lluniau o dri thŵr yw'r prinnaf, gyda dim ond rhyw ddeg ar hugain ohonyn nhw. Beth yw arwyddocâd – os oes arwyddocâd o gwbl – i'r gwahanol gyfuniadau hyn? Fel gyda chynifer o ffactorau yn achos gwaith J Howard Beynon, ni cheir unrhyw ateb digonol.

Cred S A Martinez ('Repetitions and Variations in the Work of J Howard Beynon', *Transactions 4th IJHBS*) fod nifer amrywiol y tyrau yn y lluniau yn dra arwyddocaol. Mae'n nodi fod pob cyfuniad yn amnifer (neu'n odrif) a bod hynny ynddo'i hun yn awgrymu rheolaeth fwriadol o ran yr artist. Ar y llaw arall, maentumia Pierpoint a Mazillius fod yr amrywiadau'n gwbl fympwyol ac yn dibynnu ar chwiw Beynon o ddydd i ddydd. Anghytunaf â hyn ac mae'n ddewisach gennyf fi ddadleuon Martinez. Fel y dywed yntau, mae'r ffaith fod pob un o'r darluniau pen-blwydd yn dangos un tŵr yn sefyll ar ei ben ei hun yn ddadl gref dros gredu fod pob cyfuniad yn dynodi ystyr nad yw'n hysbys inni eto a bod angen ymchwil bellach. Mae tîm o ymchwilwyr eisoes yn bwydo dadansoddiadau o bob un o luniau Beynon i gyfrifiaduron, yn y gobaith y bydd y ffigurau'n ildio gwell dealltwriaeth o waith yr arlunydd. Edrychwn ymlaen at y canlyniadau.

Felly, i ddod yn ôl at y llun o dri thŵr a gyflwynwyd i Alwyn; ar ôl i mi gymharu'r llun hwn â rhai eraill yn dangos tri thŵr – rhai o blith y prosiectau misol a rhai o'r llyfrau sgetsio – ni allwn weld unrhyw wahaniaeth amlwg; er bod pob llun yn wahanol ac yn unigryw yn ei ffordd ei hun, fel y nodwyd eisoes, maent i gyd yn hynod o debyg i'w gilydd gan eu bod yn cydymffurfio â'r un 'rheolau'. Serch hynny, fe deimlwn ac fe synhwyrwn fod y llun hwn yn wahanol mewn ffordd hanfodol i'r lleill. Craffais ar y ffenestri, y drysau, y balconïau, yr wybren, ac er na allwn ganfod dim nad oedd yn cydweddu â'r gweithiau eraill fe barhawn i gael yr argraff fod y tri thŵr yma'n dweud rhywbeth ychydig yn wahanol i bob darlun arall.

Roedd hyn yn ddatguddiad i mi, yn 'foment iwrîca'. Y mae pob un o weithiau Howard yn llefaru ac yn dweud rhywbeth; ein rhwystredigaeth ni ar hyn o bryd yw ein bod ni'n analluog i ddeall ei iaith. Mae gwaith Howard yn siarad â ni; dyna pam y daeth mor adnabyddus a phoblogaidd ar draws y byd mewn byr o dro. Gellir cymharu ei luniau â cherddoriaeth sydd, er yn ddieiriau, yn dal i gyfleu teimladau ac emosiynau ac am hynny y mae rhai'n meddwl amdani fel iaith ryngwladol, drawsffiniol. Fe deimlir fod rhai o luniau Howard yn 'hapus', rhai yn 'drist', rhai yn wirioneddol orfoleddus ac ambell un yn sawru o ddicter; wrth gwrs mae'r rhan fwyaf yn ennyn ymateb llawer mwy cymhleth ac amlochrog na'r rhai syml hyn. Ond yr hyn sy'n ddiddorol yw fod yna gytundeb cyffredinol yn amlach na pheidio ynglŷn â'r teimlad arbennig a briodolir i luniau penodol. Er enghraifft, pan werthwyd 'Saith Tŵr' i gasglwr dienw o Siapan dro yn ôl (am swm chwe ffigur) fe'i disgrifiwyd mewn sawl adroddiad fel llun 'cyfeillgar' neu 'allblyg'. Pe gofynnid i'r sawl a'i disgrifiodd yn y termau hyn pam y'u dewisodd, go brin y gallai esbonio'i resymau. Ond yr hyn sy'n drawiadol yw fod sawl person wedi defnyddio'r un ansoddeiriau i ddisgrifio'r un llun. Mae hyn yn digwydd yn achos y rhan fwyaf o weithiau Howard ac fe'u llysenwir gyda geiriau fel 'Y Tyrau Eiddgar', 'Y Tŵr Awyddus', 'Y Saith Tŵr Amyneddgar', ac yn y blaen.

Dim ond ar lefel reddfol, felly, y gallwn i ddehongli'r llun a gyflwynwyd i Alwyn. Ac o'r eiliad y gwelais y llun yn y siop sothach ail-law fe deimlwn fod y llun hwn yn 'annwyl' (dyna'r gair cyntaf a ddaeth i'm meddwl i pan welais ef gyntaf), yn 'fwyn', yn 'agos-atoch' ac yn 'gysurus'. Wrth gofnodi'r geiriau hyn mewn du a gwyn, rwy'n sylweddoli eu bod i gyd yn annigonol ac yn gorsymleiddio'r naws sy'n tarddu o'r llun; mae'r llun yn dal i fynegi ac i siarad y tu hwnt i ffiniau cyfyng y geiriau. Ond dim ond geiriau bach sydd gennym, yn wahanol i artist fel J Howard Beynon.

A oedd Alwyn yn gwerthfawrogi'r llun hwn? Go brin. Ac ar ôl ei farwolaeth annhymig fe aeth y llun i ddwylo eraill (pwy a ŵyr sawl pâr o ddwylo) heb i neb amgyffred pa drysor oedd yn ei feddiant, nes iddo ddiweddu yn y siop sothach yna. Peth ffodus iawn i mi, afraid dweud, oedd anwybodaeth a diffyg ymateb pobl eraill.

Pan gefais y llun hwn, nid oeddwn yn rhag-weld y byddwn yn dod o hyd i ragor o weithiau Beynon. Awgrymai f'ymchwil cynnar nad oedd Howard yn barod i ddangos ei waith i neb, heb sôn am roi ei luniau i bobl. Unwaith eto fe'm profwyd yn anghywir. Er mawr syndod i mi fe ganfûm i luniau eraill, storfa ohonynt, ynghyd â mwy o wybodaeth annisgwyl am Howard a pherson a oedd yn ei adnabod yn dda iawn.

Wrth gwrs, rwyf yn sylweddoli bod y llun i Alwyn o'r tri thŵr yn werthfawr iawn erbyn hyn ac y gallwn ei werthu am filiwn o bunnoedd a mwy, ond fy llun i yw hwn a dim ond trwy lwc anghyffredin y daeth i'm dwylo i. Credaf fy mod yn freintiedig iawn i fod yn berchennog campwaith fel hwn. Fel athro celf a chanddo ddiddordeb mawr yn y celfyddydau cain ar hyd ei oes, y mae gennyf gasgliad bach o weithiau Cymreig – Kyffin Williams, Aneurin Jones, Iwan Bala, Shani Rhys James, Mary Lloyd Jones, Bethan Clwyd, William Brown – ond nid oedd affliw o obaith i mi gael gwaith gan arlunydd a chanddo enw rhyngwladol. Felly, pan gefais y llun hwn gan J Howard Beynon, ac ar ôl iddo ddod yn fyd-enwog, penderfynais na fyddwn yn ei werthu am unrhyw bris yn y byd. Dydw i ddim yn gyfoethog, ond dydw i ddim mewn dyled chwaith; fel athro ysgol wedi ymddeol a gŵr gweddw, rydw i'n ddigon cyfforddus yn hydref f'einioes (heb swnio'n rhy ddagreuol o sentimental yma gobeithio) felly, ni fydd rhaid i mi werthu'r Tri Thŵr. Byddaf yn ei gadw am fy mod i'n ei werthfawrogi – yn wir, rwy'n dwlu arno.

7 Barbwr Henffasiwn

ROWND Y GORNEL o siop Edward Beynon ers talwm roedd siop Davies y barbwr. I'r siop honno yr âi J Howard Beynon ar hyd ei oes yn rheolaidd i gael torri'i wallt. Ymddeolodd Mr Cen Davies yn y saithdegau a chymerodd ei fab, Mr Ioan Davies, drosodd. Bu farw Cen Davies yn 1983. Roeddwn i'n gyfarwydd iawn â'r siop, yn enwedig yn nyddiau Cen, pan oedd hi'n siop farbwr go iawn, henffasiwn. Arferwn fynd yno o bryd i'w gilydd i dorri fy ngwallt (pan oedd gen i wallt teilwng o'r enw!) ond ddim yn rheolaidd, rhaid cyfaddef. Mae'n eithaf posibl, felly, fy mod i wedi eistedd ar y meinciau wrth ochr Howard Beynon wrth aros fy nhro, heb sylwi arno, neu ynteu fod Mr Davies wedi torri fy ngwallt i yn syth ar ôl torri gwallt Howard, neu o'i flaen ef, efallai. Unwaith yn rhagor teimlaf gywilydd yma am beidio â'i 'nytyso' ac o fod yn gwbl anymwybodol o'r ffaith i mi fod ym mhresenoldeb athrylith ac un o arlunwyr mwyaf yr ugeinfed ganrif. Roeddwn innau yn rhinwedd fy swydd ar y pryd yn ceisio ennyn diddordeb plant ysgol yng ngwaith Raphael, Monet, Picasso a Van Gogh, heb fawr o lwyddiant – heb wybod fod artist cyfysgwydd â hwy yn byw yn ein tref ddi-nod ni ac yn ein plith.

Mae Aberdyddgu'n un o'r trefi bychain rheiny lle mae rhywun yn dod yn gyfarwydd â wynebau llawer o bobl er nad yw'n cael cyfle i siarad â nhw, nes ei fod yn teimlo fel petai'n nabod pob un, ac yn wir, yn dod i nabod llawer, ond fod y rhan fwyaf yn parhau i fod yn 'ddieithriaid cynefin'. Ond byddwn yn anonest petawn i'n honni fod wyneb Howard yn un o'r rheiny. Wedi craffu ar y lluniau prin ohono y soniwyd amdanynt uchod, ni allwn ddweud â'm llaw ar fy nghalon fy mod i wedi sylwi arno erioed. Nid yw'n wyneb rwy'n ei adnabod. Mae'n ddigon posibl na chroesodd ein llwybrau erioed, ac er i mi fynd i siop Davies y barbwr ddegau o weithiau dros y blynyddoedd fe ddichon na fues i a Howard erioed yn y siop honno ar yr un pryd. Ond mae hynny'n eithaf annhebygol yn ystadegol, ddywedwn i.

Bid a fo am hynny, i'r siop hon yr âi Howard yn ffyddlon. Mae'n debyg y buasai unrhyw orfodaeth ar Howard i fynd i le arall wedi achosi argyfwng iddo. Beth bynnag, dros y blynyddoedd fe dyfodd rhyw fath o berthynas, os nad cyfeillgarwch yn gwmws, rhwng yr hen Cen Davies a Howard.

Roedd Cen yn farbwr henffasiwn o'r iawn ryw, yn dipyn o gymeriad ac yn halen y ddaear. Arferai siarad â'i gwsmeriaid fel hen ffrindiau pob un, dim gwahaniaeth os oedd un yn dod i'r siop am y tro cyntaf neu'n hen 'regylar' o'r drydedd genhedlaeth. A gallai 'whilia' ar unrhyw bwnc dan haul. Fel pob dyn torri gwallt, roedd yn arbenigwr ar y tywydd, yn dipyn o athronydd, yn wleidydd (a allai newid ei safbwynt a lliw ei bleidlais fel cameleon i gyd-fynd â daliadau'r cwsmer dan ei grib a'i siswrn ar y pryd), yn sylwebydd chwaraeon – pêl-droed, rygbi, criced, tenis, yn ôl y tymor – hefyd roedd yn ddiwinydd pan oedd angen, yn gatholig, anglican, methodist, agnostig ac anghredadun yn ôl y galw. Roedd yn ddigrifwr penigamp ('Glywsosch chi'r un am y tri dyn a mwnci aeth i mewn i dafarn…'), yn nabod pob un ('Ma fe'n perthyn i mi…'), yn lledaenydd clecs ('Paid â sibrwd gair am hyn wrth *neb*…'), ac yn bennaf oll, yn wrandawydd perffaith ('Ie, ie… ody, ody… 'tyn,'tyn… cer o ma!'). Roedd swyddogaeth ei wasanaeth yn driphlyg: torri gwallt, tynnu sgwrs a bod yn therapydd. Teimlai pob un yn well ar ôl bod yng nghadair Mr Davies neu 'Cen i ti'. Teimlent yn well o ran golwg ac yn well o ran ysbryd, wedi rhoi'r byd yn ei le.

Ond er ei fod yn allblyg ac yn gymdeithaswr mawr, nid oedd Cen yn ansensitif. Gallai synhwyro pan fyddai un o'i gwsmeriaid yn amharod i siarad, os oedd yn swil, yn anghyfforddus, yn isel ei ysbryd, neu, yn syml, yn ddyn dieithr o'r ddinas, dyweder. Ni fyddai'n gorfodi neb i ymgomio oni ddymunai siarad. Ac mae'n debyg na fyddai'n gwneud dim i annog Howard i gynnal ymddiddan pan ddeuai i'r siop i gael torri'i wallt. Byddai'n cael clonc hir, hir ag Edward Beynon fel hen gymydog a chyd-fasnachwr, a dyn o'r un genhedlaeth ag ef. Ond byddai'n trin ei fab mewn ffordd hollol wahanol, gan barchu ei ddistawrwydd a'i swildod. Gwobrwyodd Howard y gyd-ddealltwriaeth yma mewn dwy ffordd; gan fod yn gwsmer cwbl ffyddlon iddo hyd y diwedd, a thrwy roi iddo ugain o'i luniau dros y blynyddoedd.

Mae'r lluniau hyn ym meddiant mab Cen bellach, ac rwy'n ddyledus iddo am eu dangos i mi. Fel yn achos fy llun i o'r tri thŵr, ni ŵyr neb yn y byd sy'n astudio gwaith Beynon am y gweithiau hyn. Pan y'u gwelais fe allwn ddweud ar unwaith, heb rithyn o amheuaeth, eu bod yn ddarluniau gwreiddiol a dilys gan J Howard Beynon. Ni allwn berswadio Ioan Davies i'w gwerthu, gan eu bod yn eiddo i'w ddiweddar dad. Rhoddodd ganiatâd caredig i mi dynnu lluniau manwl ohonynt ar yr amod na fyddwn yn gwerthu'r lluniau hynny nac yn eu cyhoeddi mewn unrhyw fodd. Dro yn ôl fe ddanfonais gopïau o'r ffotograffau hyn at arbenigwyr Sothebys ac at ambell awdurdod ar waith Beynon: Czerwonobroda, Tullett a Martinez (heb ddatgelu eu lleoliad na'u perchenogaeth). Nid oedd pob un wedi ei argyhoeddi eu bod yn weithiau dilys. Y mae peth ansicrwydd, meddai dynion Sothebys, ynghylch tarddle (*provenance*) y gweithiau hyn. Sarhad oedd yr ensyniad yma ar eirwiredd Ioan Davies, wrth gwrs, heb yn wybod iddyn nhw nac iddo ef. Does gennyf i ddim arlliw o ddrwgdybiaeth ynglŷn â'i dystiolaeth fod Howard wedi rhoi'r darluniau i'w dad yn anrhegion i ddiolch am y gwasanaeth syml o drin ei wallt.

Ni ddeuai'r lluniau ar unrhyw adeg arbennig nac am unrhyw reswm, hyd y gallai Mr Davies farnu; dibynnai'r cyflwyno yn llwyr ar fympwy Howard. Roedd Cen Davies yn falch o bob un ohonynt am fod ganddo drueni dros Howard, yn ôl Ioan Davies, ac ni fuasai wedi gwerthu'r un ohonynt rhag ofn brifo'i deimladau. Nid oedd gan Mr Cen Davies na Mr Ioan Davies unrhyw syniad ynglŷn â gwerth y lluniau. Ond dro yn ôl gwelodd Ioan raglen ar Howard ar y teledu a meddwl, efallai ei bod hi'n bryd i sôn am gasgliad ei dad (mae'n dal i gyfeirio atynt fel lluniau ei dad) a dyna pam y daeth ataf i. Roeddwn wedi dysgu Ioan yn yr ysgol, fel mae'n digwydd – doedd fawr o ddiddordeb ganddo mewn celf, barbwr roedd e am fod, fel ei dad, chwarae teg iddo.

Mae amharodrwydd yr arbenigwyr i dderbyn y casgliad hwn i'r canon yn ddigon dealladwy. Y mae'r darnau hyn ychydig yn wahanol i weithiau eraill Howard. Y peth mwyaf trawiadol amdanynt yw fod lliw ynddynt. Bu'n rhaid i mi ofyn i Ioan pan welais y rhain gyntaf pwy oedd wedi'u peintio, gan fy mod yn ofni bod rhywun diweddarach wedi mynd ati i 'gwpla' gwaith Howard, neu fod rhyw blentyn bach wedi cael y syniad o'u 'lliwio nhw mewn'. Ond cefais fy sicrhau gan Ioan mai fel hyn y rhoddwyd hwy i'w dad gan Howard ei hun, wedi'u lliwio. Yn wir, roedd Ioan yn cofio gweld Howard yn rhoi un o'r lluniau i'w dad, a hwnnw mewn lliw. Mae Beynon wedi defnyddio dyfrlliw i beintio waliau allanol ei dyrau – mae pump mewn rhes, ochr yn ochr, ymhob un o'r lluniau yng nghasgliad Cen Davies – yn lliw tywod, glas ar gyfer yr wybren a gwyrdd ar gyfer y tir neu'r gwair a'r 'dail' ar y 'coed' a'r 'perthi'. Synhwyraf fod Howard wedi penderfynu rhoi lliw ar y darluniau hyn gan ei fod wedi'u dewis a'u dethol i'w rhoi yn anrhegion i Mr Davies. Mae hyn yn awgrymu fod Howard yn teimlo bod y darluniau ysgrifbin ac inc a gadwai iddo ef ei hun yn anorffenedig heb liw.

Fel yn achos y llun a roddodd Howard i Alwyn, mae pob un o luniau Cen Davies yn consurio teimladau dymunol. Dyfalaf fod Howard wedi ceisio cyfleu i Mr Davies ei gyfeillgarwch; meddyliai amdano fel ffrind, a'i awydd i ddweud hyn oedd yr anrhegion hyn. Er na siaradai Howard pan eisteddai yng nghadair Mr Davies (yn ôl tystiolaeth Ioan), ac er bod yr hen farbwr yn parchu ei ddistawrwydd drwy fynd ymlaen â'i waith yn dawel, roedd yna ryw gymundeb dieiriau rhyngddyn nhw, mae'n amlwg. Deallai Mr Davies swildod Howard a deallai Howard fod yna ddyn sensitif yn cuddio y tu mewn i'r dyn torri gwallt allblyg a siaradai fel melin bupur drwy'r amser.

Mae'r ugain llun hyn yn dystiolaeth bellach – pe bai angen mwy – i obsesiwn J Howard Beynon ac i'w allu i fyw ym myd amgen ei feddwl ei hun. Ynghyd â'r llun a roddwyd i Alwyn, dyma atodiad nid ansylweddol i gorff gwaith yr arlunydd. Faint o luniau eraill gan yr artist oedd yn dal heb eu darganfod yn Aberdyddgu a'r cylch? O hyn ymlaen treuliais fwy o'm hamser a'm hegni yn olrhain camau Howard ar hyd a lled y dref yn y gobaith o ddod o hyd i gysylltiadau eraill ag ef ac, o bosib, mwy o'i weithiau a oedd yn dal heb eu catalogio a'u cofnodi. Ar ben hynny fe'm gwelid yn aml yn cribo siopau hen bethau, ffeiriau sborion a phob gwerthiant cist car. Braidd yn ddifrïol oedd f'agwedd tuag at y siopau a'r gwerthiannau hyn cyn hynny – stwff nad oedd neb ei eisiau, sothach, rwtsh, sbwriel, jync. A rhaid i mi ddweud nad oedd y dasg o fynd drwy hen siopau tywyll llychlyd a phori ar stondinau nad arddangosai ddim byd mwy gwerthfawr na llwy a fforc amddifad, teganau plastig wedi torri, yr asyn anochel o Sbaen, hen wresogydd trydan, peth cyrlio gwallt a broc di-ben-draw bywyd, nad oedd mynd drwy'r pethach hyn at fy nant i o gwbl. Ond gwnawn bob ymdrech i ddod o hyd i bob un o weithiau J Howard Beynon. Wedi'r cyfan, doedd neb arall yn gwneud hynny ar y pryd.

A pha ddiolch gefais i am fy nhrafferth? Cael fy nghyhuddo o ffugio gweithiau'r artist. Dim ond y gweithiau a brynwyd gan Hewitt a Lythgoe a dderbynnid. Roedd y darnau "newydd" yma yn amheus iawn, medden nhw. Cefais fy mhortreadu fel athro celf medrus (eu geiriau hwy; canmoliaeth ag ynddi golyn) a gallwn yn hawdd fod wedi astudio gwaith Howard gyda'r bwriad o atgynhyrchu gweithiau "Beynonaidd". Mor hawdd â hynny. Mae'n wir fod darluniau pensaernïol Beynon yn gymharol hawdd i'w dynwared a'u hefelychu'n arwynebol, ond mae'n sarhad ar athrylith unigryw Howard bod rhai yn methu gwahaniaethu rhwng ei gampweithiau hudol, enigmatig ef a darluniau ffug sydd bob amser yn amddifad o swyn a dyfnder y gweithiau go iawn.

8 Leedskalnin

Un peth sydd wedi poeni sawl ymchwilydd sy'n astudio bywyd a gwaith J Howard Beynon yw'r cwestiwn ynglŷn â'i fywyd rhywiol. Nid wyf i yn bersonol wedi colli fawr o gwsg dros y mater yma; nid wyf i wedi gweld iot o dystiolaeth fod gan Howard unrhyw fath o 'fywyd erotig' o gwbl. Mwy na hynny, nid oedd ganddo unrhyw ddiddordeb ym materion serch, hyd y gellir barnu. Er hynny, nid yw diffyg ffeithiau wedi gomedd rhai rhag dyfalu.

Fel y nodwyd eisoes, gwelodd Michelle Pierpoint bob math o symbolau ffalig yn nhyrau Beynon, a chredai Curbishley fod ei holl brosiect yn nodweddiadol o un a siomwyd gan gariad. Chwiliodd Quartermaine, Kember a Morgan yn ddyfal am wrthrych serch Howard heb ddod o hyd i'r un ymgeisydd pendant, ond ni rwystrodd hynny yr un ohonynt rhag dychmygu a chonsurio posibiliadau, a'r rheiny'n gwbl ddi-sail.

Os cwympodd Howard mewn cariad erioed, fe gadwodd y peth yn gyfrinach a gladdwyd gydag ef yn ei fedd yn Aberdyddgu. Wedi dweud hynny, y mae tebygrwydd i'w weld rhwng bywyd Howard a bywyd dyn arall a dreuliodd ei oes yn aruchelu'r siomedigaeth a gafodd ynglŷn â'i unig gariad, fel rhyw fath o Miss Haversham gwrywaidd. Gan i'r dyn hwn lunio strwythurau rhyfedd odiaeth, ni allwn ond ei gymharu â Howard.

Ei enw oedd Edward Leedskalnin o Latfia a

aned yn 1887. Pan oedd yn chwech ar hugain oed fe ddyweddïodd â merch o'r enw Agnes Scuffs a oedd yn un ar bymtheg oed ac a oedd, yn ôl y sôn, yn ferch fawr gnawdol, tra oedd Leedskalnin ei hunan ond yn ddyn bach pedair troedfedd wyth modfedd. Ond noson cyn y briodas aeth Agnes i'w weld i ddweud na allai ei briodi am ei fod yn rhy dlawd ac yn rhy hen. Roedd hyn yn drychineb i Leedskalnin ac fe adawodd Latfia mewn ymdrech i anghofio am Agnes Scuffs. Crwydrodd drwy Ewrop am flynyddoedd, yna aeth draw i Ganada ac wedyn lawr i Galiffornia a Tecsas. Erbyn 1919 roedd yn dioddef o'r ddarfodedigaeth, felly fe symudodd i Fflorida yn y gobaith y byddai'r hinsawdd yn gwneud lles iddo. Rhywsut fe lwyddodd i brynu darn o dir mewn llecyn diarffordd yn y dalaith. Yno, treuliodd Leedskalnin weddill ei oes yn byw ar ei ben ei hun ac yn gwneud cerfluniau rhyfeddol o feini cwrel. Ymhlith y cerfluniau hyn ceir dwsin o gadeiriau siglo, map o Fflorida, planedau, peiriannau astronomegol ac un obelisg pum troedfedd ar hugain o uchder. Yr eitemau tristaf o blith ei gerfluniau yw'r ddau wely sengl a'r ddau grud sydd yn cynrychioli'r bywyd priodasol a'r plant na chafodd gydag Agnes Scuffs.

Roedd y cerfluniau hyn i gyd yn anferth – celfi ar gyfer cewri oedd y cadeiriau a'r gwelyau – ac amcangyfrifir i Leedskalnin gerfio dros 1,100 tunnell o gerrig cwrel dros gyfnod o ugain mlynedd. Yn 1940 fe adeiladodd gastell cwrel o amgylch ei gerfluniau. Mae cwrel yn pwyso 125 pwys am bob troedfedd ciwbig ac roedd pob rhan o waliau'r castell yn wyth troedfedd o daldra, pedair troedfedd o led, tair troedfedd o drwch ac yn pwyso 13,000 pwys. Mae'n ddirgelwch i wyddonwyr a pheirianwyr sut y llwyddodd Leedskalnin (na phwysai ond saith stôn) i symud a thrin defnyddiau mor drwm. Pan ofynnwyd iddo sut y symudodd y cwrel, atebai'n enigmatig ei fod yn deall natur pwysau a nerth peiriannol. Mae'r drws i'w gaer gwrel yn anferth (naw tunnell) ond mae plentyn bach yn gallu'i agor â'i fysedd.

Er ei fod yn ar-ei-ben-ei-hunwr fel Howard, yn wahanol i'r Cymro roedd yna agwedd gyhoeddus i bersonoliaeth y Latfiad. Fe gyhoeddodd nifer o lyfrau, rhai yn cyfarwyddo pobl ar sut i fyw a sut i fagu plant (roedd e'n hen lanc ar hyd ei oes, cofier). Cynghorodd rhieni i beidio â rhoi gormod o fwyd i ferched rhag ofn iddynt dyfu'n rhy fawr, ac i rwystro plant rhag gwenu gormod gan fod hynny'n anffurfio eu hwynebau. Roedd actoresau a wenai ormod yn wrthun ganddo.

Unig fwyd Leedskalnin oedd sardîns a bisgedi, a hynny, yn ôl pob tebyg, a achosodd ei farwolaeth drwy newyn yn 1951, yn drigain a phedair oed.

9 Mae 'Nhrwyn i'n Gwaedu

FE DDAETH HI i mi neithiwr. Fel gweledigaeth bron. Bwyta banana roeddwn i wrth ymlacio ar y soffa gan wrando ar David Oistrac yn chwarae consierto Brahms i'r fiolin yn D, ar gryno-ddisg, pan yn sydyn gallwn weld siop Edward Beynon. Pam nad oeddwn i wedi cofio hyn o'r blaen? Arferwn bicio i mewn i'w siop i gael neges yn aml. A dyna lle roeddwn i unwaith eto yn prynu bananas. Gallwn weld y cownter, y glorian gyda'r pwysau pres, y til mawr – yn wir, gallwn glywed sŵn ei ddrâr mawr metal yn agor – *tsha-tshing* – a'r arian ynddo'n siglo, y rhifau'n dod lan ac yn newid yn y cas gwydr uwch ei ben. Mae'n ddiwrnod braf ac mae yna ddau ddrws yn y siop, gyferbyn â'i gilydd, ac awel hyfryd yn llifo drwyddynt. Mae'n siop fawr, nage, siop sylweddol, a gwelaf y ffrwythau yn rhesi taclus: bananas, afalau gwyrdd, rhai coch, pêrs a llysiau; tatws, moron ac yn y blaen. Dyma fi'n dod i flaen y ciw, fy nhro i yw hi i dalu am fwnsiad mawr o fananas melyn. Ond mae 'na gwsmeriaid eraill yma, menywod gan fwya, yn gwisgo ffrogiau hafaidd a blodau mawr arnyn nhw, a hetiau, ac ambell fenyw fwy crand na'i gilydd yn gwisgo menig. Rwy'n ymwybodol o'r stryd y tu allan a'r mynd a dod yn yr haul, ond prin yw sŵn ceir. Uwch fy mhen mae rhywbeth yn symud, gwyntyll drydan enfawr yn troi – oedd, roedd gan ambell un o'r siopau mwyaf llewyrchus wyntyllau y pryd hynny, a nawr gyda'n hafau crasboeth diweddar, diolch i dwymo byd-eang, maen nhw'n dod yn ffasiynol unwaith yn rhagor. Pa flwyddyn yw hi? Nid wyf yn gweld fy hunan yn yr atgof, dim ond gweld popeth o'm safbwynt i. Nid plentyn mohonof, credaf fy mod yn f'arddegau. Gwelaf y prisiau ar gardiau ar y nwyddau – 2/6d – hanner coron! Mae menyw yn tynnu hen 'bapur chweugain' cochfrown ma's o'i phwrs. Yn fy nwylo fy hun mae'r ceiniogau mawr tenau a brown i dalu – pen yr hen frenin Edward VII ar un a phennau George IV a George V ar eraill – ac mae darn tair ceiniog melyn onglog a phen Elisabeth II ifanc arno. Roeddwn i'n arfer casglu ceiniogau pan oeddwn i'n grwtyn, a byth wedi peidio â sylwi arnyn nhw hyd heddiw – er ei bod braidd yn ddiflas bellach gyda dim ond pen y frenhines bresennol i'w gael.

Y tu ôl i'r cownter, saif ffigur cyfarwydd Mr Beynon. Os na sylwais ar ei fab, roeddwn yn nabod ei dad, Edward Beynon, yn dda iawn wrth ei olwg. Mae'n gymharol dal; pum troedfedd a naw i ddeg modfedd, un ar ddeg, efallai; main, gyda thuedd i wargamu. Wyneb cul, pryd tywyll iawn, aeliau du a gwawr las tywyll i'w ruddiau pantiog a'i ên, cysgodion tywyll o gwmpas ei lygaid a llinellau mân, tenau, a'i wefusau tenau'n awgrymu rhyw surni yn ei geg. Roedd Edward Beynon yn un o'r dynion rheiny na fyddai byth yn gwenu. Mae'n cymryd y bananas oddi arna i yn ei fysedd esgyrnog, blewog ac yn eu pwyso ar y glorian. Er gwaetha'i olwg gas a bygythiol, y mae bob amser yn ddigon cwrtais wrth bob un.

Y tu ôl iddo mae yna ddrws sydd bob amser yn agored, a thrwy'r drws hwn fe ellir gweld grisiau sy'n mynd lan i'w gartref uwchben y siop. A dyma gnewyllyn yr atgof. Rwy'n cofio rhywun yn dod i lawr y grisiau ac i mewn i'r siop. Mae pawb yn ei weld, er does neb i'w weld yn cymryd sylw ohono. Ffigur anghyfarwydd i mi. Mae'n dal nisied wrth ei wyneb, felly mae'n anodd ei weld. Ac mae'n dweud, "Mae 'nhrwyn i'n gwaedu 'to, Dad." Mae Mr Beynon yn troi ata i ac at bawb yn y siop ac yn cyhoeddi, "Esgusodwch fi am bum munud," ac mae'n mynd gyda'r llall drwy'r drws y tu ôl i'r cownter a lan lofft. Dydw i ddim yn cofio mwy.

Felly, do, fe welais J Howard Beynon, ac er na welais ei wyneb yn iawn fe'i clywais yn siarad.

10 Howard yn Dal i Weithio

GŴGLWCH YR ENWAU James Howard Beynon ac fe gewch chi filoedd, yn llythrennol, o wefannau ac mae'r nifer yn cynyddu bob dydd. Mae'r rhan fwyaf o'r rhai yr wyf i wedi ymweld â nhw (allwn i ddim honni i mi fynd i'r rhan fwyaf ohonynt, dim ond canran fechan ohonynt sy'n bosib i un dyn) yn arwynebol ac ansylweddol iawn, fel sy'n nodweddiadol o wybodaeth ar y we. Mae llawer o'r deunydd yn gwbl gyfeiliornus – rhyfedd fel mae pobl yn barod i lyncu'r holl ddeongliadau rhywiol syml: tyrau = ffalws = gweithiai Beynon mewn toiled i ddynion. Ac mae rhai o'r gwefannau yn gwbl wallgof, fel llawer o'r pethau a geir ar y we fyd-eang. Mae sawl un, er enghraifft, yn dyfalu beth sydd y tu fewn i dyrau Beynon a rhai yn mynd ymhellach ac yn *dweud* yn bendant beth sydd ynddynt a beth sydd i'w gael y tu ôl i ffenestri penodol.

Yn anochel, mae sawl un wedi dod o hyd i gysylltiadau rhwng y tyrau a'r San Greal, Mair Fadlen, Leonardo da Vinci, Marchogion y Deml a'r holl fymbo-jymbo yna. Ar y cyfrif diwethaf, mae o leiaf pedair nofel ac un ddrama ac un ddrama gerdd (*J Howard Beynon the Opera*) wedi cael eu cyfansoddi yn seiliedig ar ddamcaniaethau ynghylch tyrau Beynon. Mae gwefannau eraill yn dweud, yn hollol ddiffuant ac o ddifrif calon, hyd y gellir barnu, fod Howard wedi ymweld â phlaned arall mewn llong ofod ac mai darluniau o'r adeiladau ar y blaned honno yw ei dyrau; rhai yn mynd cyn belled â datgan mai dyn o blaned arall oedd Beynon ei hun. Be wnewch chi o bethau fel'na? Eu hanwybyddu yw'r unig ymateb call.

Ond mae yna wefannau gwerthfawr a diddorol i'w cael hefyd. Mae nifer o ymchwilwyr proffesiynol yn defnyddio gwefannau a blog-gastio i wyntyllu syniadau, rhannu damcaniaethau a chyhoeddi darganfyddiadau. Gellir cysylltu â chyrff academaidd fel The International Society for the Study of the Work of J Howard Beynon (sy'n trefnu'r symposia rhyngwladol blynyddol, wrth gwrs); The J Howard Beynon Appreciation Society of America; La Société J Howard Beynon Paris; The International J Howard Beynon Circle sydd â grwpiau mewn nifer o ddinasoedd mewn sawl gwlad sydd yn cyfarfod yn gyson i drafod gwaith yr artist ac yn cyhoeddi cylchlythyr sylweddol a defnyddiol ddwywaith y flwyddyn.

Ac mae yna gymdeithasau yn ogystal ag unigolion yng Nghymru sydd â diddordeb mawr yn Beynon. Ceir dwy neu dair ohonynt yma yn Aberdyddgu, fel y buasech yn disgwyl, yn ei dref enedigol. Gwaetha'r modd amcan y rhain yw hyrwyddo'r diwydiant twristiaeth sy'n ffynnu yn y dre o ganlyniad i'w chysylltiad ag enw Beynon. Gair i gall – cadwch draw rhag y rheina!

Drwy gyfrwng y we y des i o hyd i un o'r bobl mwyaf diddorol a rhyfeddol sy'n ymwneud â Beynon. Er fy mod yn amau ei bod hi'n hollol loerig, ni allwn ymgroesi rhag cysylltu â hi, nid amgen Mrs Hanna Mapother o Lanbryn-mair. Wedi'r cyfan, onid oedd ei gwefan yn ymfalchïo yn y ffaith fod Mrs Mapother wedi bod mewn cysylltiad uniongyrchol a beunyddiol â Howard Beynon ers 1995 (bu farw'r artist yn 1993 fel y cofir yn dda) a'i bod hi'n cario ymlaen â'i waith ef. Ar ei gwefan, er mwyn profi'r datganiad olaf yma, fe ellir gweld y gweithiau diweddaraf hyn – nid gan Mrs Mapother, sylwer – eithr gan Beynon ei hun, sydd yn defnyddio dwylo a llygaid y fenyw hon i gynhyrchu mwy o'i luniau. Gallwn weld fod y lluniau ar y wefan yn ddigon "Beynonaidd" ond heb yr elfen ysbrydol (anwybydder y gair mwys) sy'n dangos eu bod mewn gwirionedd yn waith gan Howard Beynon. Dyfalwn fod rhywun wedi trasio neu ddargopïo atgynyrchiadau o luniau Beynon o wahanol ffynonellau gan gymryd tŵr o'r llun yma a thŵr o lun arall a'u cyfuno o'r newydd. Dyna'r camgymeriad: pan fo mwy nag un tŵr mewn llun gan Beynon maen nhw'n cydweddu mewn ffordd organig; doedd y cyfuniadau hyn ddim yn gwneud hynny. Ond er gwaetha f'amheuon danfonais e-bost at Mrs Mapother, ac wedi peth e-hebiaeth rhyngom (ni fynegais fy nrwgdybiaeth) trefnais ymweld â hi.

Saif cartref Mr a Mrs Mapother mewn rhes o efailldai crand, eu gerddi i gyd yn gymen-berffaith, ac o'r gerddi hyn gardd y Mapotheriaid fyddai'n ennill y wobr gyntaf mewn unrhyw gystadleuaeth, llawn fel y mae hi o *fuchsias* a *dahlias* a *petunias* a lilis o bob lliw a llun. Gardd

Mr Mapother yw ei ddileit. Y tŷ ei hun yw hyfrydwch Mrs Mapother a'i wynder syfrdanol yn gwneud i'r ymwelydd blêr deimlo'n frwnt yn ei ganol. Gwyn a phres (nid gair y gogledd am arian yma) yw'r prif elfennau. Fframiau pres am y lluniau diweddaraf gan "Howard" ar y waliau gwyn, lampiau pres, ffigurau pres, brasys ceffylau'n sioe o amgylch y lle tân gwyn (nwy). Ac yn dywysoges ar y cyfan, pwy arall ond cath Bersaidd wen, flewog o'r enw Miss Tibbs. Ac yn ogystal â phres, lês. Lliain lês sydd ar y ford gron yn y parlwr.

"Yma dwi'n cynnal fy *séances,*" meddai Mrs Mapother. Nid bod rhaid iddi gynnal *séance* i gyfathrebu â J Howard Beynon gan fod hwnnw ar gael iddi hi bob amser. "Mae Howard yn gweud croeso, mae e wedi bod yn erfyn i chi ddod ers sbel," meddai Mrs Mapother.

Fe'm hanogwyd i eistedd ar un o'r cadeiriau esmwyth gwyn (y mae dyn yn suddo i mewn iddynt yn hytrach nag eistedd arnynt) ac i gymryd gwydryn o sieri (melys); daeth Miss Tibbs, heb wahoddiad, i eistedd ar f'arffed ac i sticio'i chrafangau i mewn i'm penliniau.

"Mae Howard yn dal i weithio bob dydd ers iddo basio," meddai Mrs Mapother gyda phwyslais arbennig ar y gair pasio, "ac mae'n rhoi [pwyslais arbennig yma eto] rhai o'i luniau i mi," gan gyfeirio fy sylw, gyda'i llaw fach bert sy'n disgleirio â modrwyau a breichledi aur ac ewinedd oren, at y lluniau ar y waliau.

Rydw i'n craffu arnynt am eiliad – digon i mi ddweud yn bendant nad gwaith J Howard Beynon mohonynt o gwbl, er nad wyf mor anghwrtais â dweud hynny wrth Mrs Mapother. Mae hi'n fenyw garedig yn ei ffordd ei hun ac yn fy nghroesawu'n llawen i'w chartref.

"Mae Howard a finnau wedi dod yn ffrindiau mawr, on'd y'n ni, Howard? 'Tyn, 'tyn."

Mae hi'n siarad fel petai rhywun yn eistedd wrth ei hochr ar y soffa, yn gwenu arno, yn cyffwrdd â'i fraich gan mor agos at ei gilydd ydyn nhw. Does neb yno.

Drwy'r ffenestr gallaf weld Mr Mapother yn potsian yn ei ardd. Synhwyraf fod mwy o Gymraeg rhwng Mrs Mapother ac ysbryd anweledig Howard Beynon nag sydd rhyngddi hi a'i gŵr.

Mae Mrs Mapother wedi symud yn awr i eistedd mewn cadair esmwyth gyferbyn â mi ac yn hanner gorwedd yn ôl, ei llygaid yn hanner cau.

"Weithiau mae Howard yn meddiannu fy nghorff," meddai gan gau'i llygaid yn gyfan gwbl. "Dwi'n mynd i ganiatáu iddo neud hynny nawr ac wedi'ny cewch chi siarad ag ef eich hunan."

Teimlaf yn anghyfforddus ac amheus iawn. Llacia holl gorff Mrs Mapother, mae'i phen yn rhowlio ac yn gorwedd ar ei hysgwydd chwith, ei cheg yn agored. Ymddengys fel petai'n cysgu. Yna mae'n dechrau chwyrnu. Ofnaf ei bod hi'n cael napyn go iawn ac wedi anghofio'n llwyr amdana i. A ddylwn i ei dihuno hi? Yna, yn sydyn, dechreua ymysgwyd a grwgnach drwy'i chwsg, fel petai. *Chwap!* Eistedd yn gefnsyth, ei llygaid yn rhythu'n syth o'i blaen ond yn ddi-weld.

"Myfi yw James Howard Beynon," meddai mewn llais bach gwichlyd, doniol braidd. "Artist ydw i. O's 'da chi gwestiwn i mi?"

Oes, mae llawer o gwestiynau gyda mi i'w gofyn i J Howard Beynon, ond nid Beynon yw'r fenyw 'ma. Mae'n anodd i mi gymryd y ffolineb yma o ddifri, ond teimlaf fod rhaid i mi feddwl am rywbeth i'w ddweud er mwyn cadw cap Mrs Mapother yn gwmws. Ac yna mae'n dod i mi fel fflach o weledigaeth – y cwestiwn y dylwn i ei ofyn.

"Beth oedd y gymwynas nath Alwyn i ti?"

Mae peth dryswch yn croesi llygaid pŵl a thalcen Mrs Mapother, ac mae hi'n oedi cyn ateb:

"Ces i fenthyg radio 'da fe," meddai hi wedi meddwl dro.

Codaf a cherdded ma's o'r tŷ.

Rwy'n adnabod cwacyddiaeth go iawn pan welaf hi.

11 Sarah Winchester

PAN WELANT DDARLUNIAU Howard, mae Americaniaid yn aml iawn yn consurio enw Sarah Winchester a'i thŷ rhyfeddol yng nghwm Santa Clara, Califfornia. Cyn i mi gymryd diddordeb yng ngwaith Howard a dechrau siarad amdano â phobl eraill (drwy e-hebiaeth ac ar y we yn bennaf) ni chlywswn erioed am Sarah Winchester. Roedd hi'n wraig i Oliver Winchester, cynhyrchydd a gwerthwr y drylliau sy'n dwyn ei enw hyd heddiw. Gwnaeth Winchester ei enw a'i ffortiwn ar gorn ei arfau, diolch yn arbennig i'r reiffl Winchester '73, *"the gun that won the West"* (on'd oes dipyn o gynghanedd sain yna?).

Pan fu farw Oliver Winchester yn 1881 gan adael $20 miliwn o ddoleri ac incwm o $7,000 y dydd oddi wrth gwmni Winchester Repeating Arms i Sarah, aeth hi i bryderu am yr holl bobl a laddwyd gan yr arfau hyn. Aeth i ymweld ag ysbrydegydd yn Boston. Dywedodd yr ysbrydegydd fod eneidiau'r unigolion a laddwyd gan y reiffl yn dial arni drwy gymryd ei theulu – yn ogystal â'i gŵr, collasai ei hunig blentyn – a'r unig ffordd y gallai hi ddyhuddo'r ysbrydion dig a oedd yn ymgynnull o'i chwmpas oedd drwy brynu tŷ a'i helaethu a pharhau i ychwanegu estyniadau arno am weddill ei hoes, er mwyn creu cartref i feirwon y reiffl. Fel arall, fe fyddai hi'n felltigedig.

Cymerodd Mrs Winchester yr ysbrydegydd ar ei air. Yn 1884 prynodd dŷ ffarm wyth stafell. Cyflogodd griw o ugain o seiri coed a seiri maen. Gweithiai'r dynion hyn ddydd a nos gan ychwanegu estyniad ar estyniad ar y tŷ gwreiddiol. Bob nos cynhaliai Mrs Winchester *séance* i gael cyfarwyddiadau ynglŷn â'r gwaith adeiladu oddi wrth yr ysbrydion. Parhaodd y gwaith nes i Mrs Winchester farw yn 1922. Afraid dweud, fe greodd y gwaith llafur diorffwys hwn ryfeddod o dŷ cymhleth labarinthaidd ac ynddo fyrdd o bethau od a ffantastig ac, yn wir, disynnwyr. Mewn ymgais i gadw ysbrydion drwg allan, ceir yn y tŷ ddrysau sy'n agor o un ochr yn unig tra bod eraill yn agor allan ar ddim byd. Mae yna res o risiau sy'n arwain i lawr at res arall o risiau sy'n mynd yn ôl i'r llawr gwreiddiol. Mewn un rhan o'r tŷ ceir drws sy'n agor ar 'ystafell' o fodfedd o ddyfnder yn unig ond gyferbyn â'r drws hwn ceir drws arall sy'n debyg i ddrws cwpwrdd ond sy'n arwain at gyfres o ddeg stafell ar hugain. Mae un rhes o steiriau â deugain o risiau ynddi a saith o gorneli neu droadau, er nad yw'n codi ond naw troedfedd. Mae steiriau eraill yn arwain at y nenfwd. Ceir nifer o fynedfeydd nad ydynt yn ddim ond heol hosan ar y diwedd. Amcan yr holl atodiadau camarweiniol hyn oedd i ddrysu ysbrydion drwg. Ar ddiwedd ei deunaw mlynedd ar hugain o waith ar y tŷ, creasai Mrs Winchester adeilad o 160 o stafelloedd dros chwech erw o dir i gyd. Fe luniwyd rhyw 750 o ystafelloedd mewn gwirionedd, ond gan fod yr ysbrydion yn newid eu cynlluniau ar fympwy fe dynnwyd y rheiny allan a'u cyfnewid yn llwyr. Mae yn y tŷ, sydd yn sefyll o hyd, chwe chegin, deugain ystafell wely, tri lifft, bron pum cant o ddrysau (cyfran uchel ohonynt yn ddrysau ffug), deng mil o ffenestri, saith a deugain lle tân a deugain o steiriau (eto rhai o'r rheiny'n ffug). Gwariodd Mrs Winchester $5.5 miliwn o'i harian "budrelw", fel y syniai hithau amdanynt, er mwyn codi'r felltith y tybiai hi a roddwyd arni.

Rwyf wedi gweld lluniau o dŷ Winchester ac, oes, mae rhannau ohono'n debyg ar yr olwg gyntaf i rai o ddarluniau Howard. Ond mae tŷ anhygoel Winchester yn llawn o anghysonderau a does dim undod iddo. Nid yw wedi tyfu'n organig, fel petai, lle mae pob un o dyrau Howard yn gwneud synnwyr perffaith; maent yn gyson a chyfun bob amser.

12 Mr Palomares

YN 1999 CEFAIS y pleser o gwrdd â Mr Luis Palomares pan ddaeth i Aberdyddgu i ymweld â bro J Howard Beynon. Mae Mr Palomares yn un o brif edmygwyr gweithiau'r artist ac mae ganddo gasgliad nodedig o ddarnau gwreiddiol unigol yn ei feddiant, ganddo ef hefyd y ceir y nifer fwyaf o lyfrau sgetsio Beynon y tu allan i'r orielau mawr. Caniataodd Mr Palomares i'r llyfrau a'r lluniau yn ei gasgliad preifat gael eu ffotograffio'n fanwl ac i'r ffotograffau gael eu cyflwyno i amgueddfeydd a llyfrgelloedd cyhoeddus fel bod modd i fyfyrwyr ac ymchwilwyr gael astudio'r gweithiau hyn.

Cyn iddo ddechrau cymryd diddordeb arbennig yng ngwaith Beynon, casglasai Mr Palomares beintiadau gan nifer o artistiaid gwreiddiol a beiddgar, yn eu plith Baumeister, Basquiat, Paula Rego, Soualges, Tàpies, Twombly ac Appel, ac roedd ganddo ambell ddarn pwysig o waith Frida Kahlo. Ond nid casglu er mwyn buddsoddi oedd unig amcan Mr Palomares. Roedd ganddo wir ddiddordeb mewn celfyddyd.

'Pan wela i lun sy'n mynd â'm bryd,' meddai yn ei acen Americanaidd, 'rhaid i mi'i feddiannu. Dyna pam dwi'n barod i dalu ffortiwn amdano. Ond wedi'i gael o, dwi ddim yn siŵr pwy sydd wedi cael ei feddiannu, y llun ynteu y fi!' meddai gan chwerthin nes bod ei fynydd o gorff haelionus yn crynu fel peiriant cymysgu sement.

Ond pan ddarganfu gwaith J Howard Beynon, teimlai

Mr Palomares fel petai wedi dod o hyd i'r hyn y bu'i enaid yn chwilio amdano ar hyd y blynyddoedd. Roedd yn rhaid iddo gael un o weithiau Beynon, ac yna un arall ac un arall ac yn y blaen. Erbyn hyn mae wedi codi adeilad ar ei stad yn Connecticut i fod yn gartref i'w gasgliad o weithiau Beynon – neu, yn hytrach, Howard, fel mae'n ddewisach gan Mr Palomares (a finnau) gyfeirio ato – a dim byd arall ond gwaith Howard sy'n cael cartref yn yr oriel arbennig hon (mae ganddo oriel arall gogyfer â'i weithiau eraill, beth bynnag).

Ei hoff lun yw un o'r tyrau unigol a luniodd Howard i nodi pen-blwydd ei fam yn 1963 (Blann, 23B). Neilltuwyd ystafell fechan arbennig i'r llun yma yn ei oriel a chadair o'i flaen. Treulia Mr Palomares oriau'n eistedd yn y gadair honno yn edrych ar y tŵr. Teimla fod y tŵr yn ei gofleidio ac yn ei amgylchynu mewn awyrgylch cariadus a dymunol. Ar yr un pryd mae'r tŵr yn ddirgelwch iddo. Mae'n dymuno mynd i mewn iddo a chael gwybod beth sydd ynddo. Mae hyn yn obsesiwn ganddo a theimla Mr Palomares fod y teimlad hwn yn dod ag ef mor agos ag sy'n bosibl at yr ysgogiad obsesiynol a orfodai Howard ei hun i wneud y lluniau hyn, un ar ôl y llall, ddydd ar ôl dydd, heb dâl, heb gydnabyddiaeth. Ond beth sydd yn y tŵr – dyna'r cwestiwn sy'n poeni Mr Palomares. Nid yw'n siŵr y byddai'r ateb yn ei blesio, hyd yn oed. Ofna y ceir y tu fewn i'r tŵr, a'r tu fewn i bob un o dyrau Howard, unigrwydd yr arlunydd, neu orffwylledd o bosib – safai Howard y tu allan i'r tyrau bob amser wrth eu darlunio, yn hytrach na threiddio i'r düwch arswydus gwallgof mewnol. Gwaeth na hynny, hyd yn oed, cred Mr Palomares fod yr hyn sydd y tu fewn i'r tyrau yn ein denu fel marwolaeth, a dyna beth sydd oddi fewn – y diwedd, distawrwydd – angau. Ond, gyda'r tŵr ei hun, mae Howard yn ymestyn allan, fel petai'n agor ei freichiau i gofleidio'r byd. Mae'n gallach, felly, i ganolbwyntio ar y tyrau, ar y tu allan ac ymwrthod â'r temtasiwn i gael ein llyncu gan y gwacter mewnol. Gwêl Mr Palomares y tyndra yma ymhob un o weithiau Howard rhwng yr allanol sy'n ein croesawu ac yn ein swyno, a'r mewnol sy'n ein hudo fel petai er mwyn ein traflyncu.

Treuliodd Mr Palomares bythefnos yn Aberdyddgu yn yr haf y flwyddyn honno ac er iddi fwrw glaw bob dydd, bron, roedd e wrth ei fodd gyda'r dref. *'Quaint'* oedd ei hoff ansoddair i ddisgrifio pethau. Roedd y rhan fwyaf o bethau yn wir naill ai'n *'quaint'* neu'n *'tiny'*. Roedd yr Hen Goleg yn gastell iddo – a gwelodd y tebygrwydd rhyngddo a llawer o ddarluniau Howard. Roedd yr amgueddfa'n *'tiny'*; canolfan y celfyddydau yn *'tiny'* hefyd; y siopau yn y dref yn *'quaint'* a'r strydoedd yn *'quaint and tiny'*.

Gresynai na allai fynd i mewn i'r adeilad lle arferai siop a chartref Edward Beynon fod, ond roedd e'n hynod o hapus ei fod e'n gallu mynd i'r union gyfleusterau cyhoeddus lle y gweithiasai Howard ar hyd ei oes. Ar y llaw arall mynegodd ei anfodlonrwydd gyda'r ffaith taw dim ond plac bach oedd ar wal y lle i ddangos y cysylltiad â'r artist pwysig. Buasai Mr Palomares wedi prynu'r swyddfeydd lle roedd cartref a siop y Beynoniaid, a'r toiledau hefyd, hyd yn oed – a'u troi nhw'n amgueddfeydd wedi'u cysegru i fywyd a gwaith Howard. Wedi dweud hynny, doedd ganddo ddim i'w ddweud wrth yr holl gaffis a'r siopau yn gwerthu trugareddau a *souvenirs* yn seiliedig ar J Howard Beynon a'i waith.

Pan ddaeth Mr Palomares i Aberdyddgu fe gysylltodd â mi drwy The International Society for the Study of the Work of J Howard Beynon gan fy mod wedi rhoi sawl darlith i'r gymdeithas honno ar Howard a'i gysylltiad â'r dref. Roeddwn i'n ddigon balch i weithredu fel tywysydd i Mr Palomares a dangos y dref iddo. Ond tra roedd ef yn rhyfeddu ei fod e'n cerdded ar hyd yr un strydoedd a'r un palmentydd ag y cerddodd Howard, roeddwn i mewn cyfyng-gyngor. A ddylwn i ddangos y llun roeddwn i wedi'i ddarganfod iddo, llun Alwyn fel rydw i'n synio amdano? Byddai'n siŵr o geisio dwyn perswâd arna i i'w werthu iddo. Pe bai wedi cynnig crocbris i mi go brin y gallaswn ei wrthod. Felly, ar ôl dwys ystyried, penderfynais na fyddwn i'n sôn am y llun. Pan ddaeth Mr Palomares i'm cartref un noson am bryd o fwyd, fe guddiais y llun yn y llofft a'i gadw'n gyfrinach.

Os darllenwch chi'r cyfieithiad o'r llyfr bach hwn, Mr Palomares, mae'n flin gen i am beidio â sôn wrthoch chi am y gweithiau eraill gan Howard y gwyddwn i eu bod yn y dref yma.

13 Nid oedd Aberdyddgu'n Ddigon Da i fod yn Aberdyddgu

MAE YNA DDIGONEDD o ffilmiau am artistiaid a'u bywydau; *Frida* am Frida Kahlo, *Girl With a Pearl Earring* am Vermeer, *Love is the Devil* am Francis Bacon, *Basquiat, Carvaggio*, ac wrth gwrs, y clasuron enwocaf *The Agony and the Ecstasy* am Michelangelo gyda Charlton Heston fel yr athrylith (sy'n chwerthinllyd) a *Lust for Life* gyda Kirk Douglas fel Van Gogh ac Anthony Quinn fel Gaugin (perfformiadau syfrdanol).

Fel adloniant ac fel storïau mae rhai o'r ffilmiau hyn yn ddigon derbyniol, ambell un yn well na'i gilydd. Mae rhai ohonynt yn dramateiddio bywyd yr artist dan sylw mewn ffordd ddigon ffyddlon i'r ffeithiau ac i hanes (*Frida*, er enghraifft) ac eraill gyda dogn sylweddol o ramant a dychymyg, heb sôn am yr Holiwdeiddiad o bethau fel *Moulin Rouge* (1952, Huston a José Ferrer ar ei liniau) a *Moulin Rouge!* (2001 Luhrmann, yr ebychnod yn cynrychioli Lautrec yn troi yn ei fedd, mae'n debyg).

Ond yr hyn sy'n fy ngwylltio i am bob ffilm am artist yw'r golygfeydd lle dangosir yr arlunydd wrth ei waith yn peintio neu'n darlunio. Welwch chi byth actor yn peintio neu'n darlunio; yr hyn a welwch chi yw actor yn 'llenwi i mewn' neu'n mynd dros llinell sydd yno eisoes (ac yn amlach na pheidio yn mynd dros yr un llinell honno drosodd a throsodd). Maen nhw'n ymddangos fel petaent yn gweithio, ond dydyn nhw ddim. Mae plentyn yn gallu mynd dros linell sydd ar y papur neu'r cynfas cyn i'r ffilmio ddechrau, ac wrth gwrs mae plentyn yn gallu 'llenwi i mewn' – dyna i be mae llyfrau coluro-i-mewn yn dda! Ond wnewch chi byth weld actor yn dechrau llun ac yn ei ddatblygu bob yn llinell neu bob yn gyffyrddiad â'r brws paent. Yr unig eithriad, hyd y gwn i, yw Ed Harris yn *Pollock* sy'n arllwys a diferu paent dros y cynfas, ac weithiau, yn union fel y gwnâi Pollock ei hun, yn reidio beic drwy'r paent gwlyb.

Yn fy marn i, mae actorion, fel cerddorion a chyfansoddwyr caneuon poblogaidd, yn cael gormod o glod a gormod o arian am y nesa peth i ddim dawn.

A nawr mae ffilm newydd o America am fywyd a gwaith J Howard Beynon. Teitl y ffilm, yn anorfod, yw *Beynon*! (yr ebychnod yn cynrychioli dicter Howard a phawb sy'n caru ei waith). Sut allwch chi wneud ffilm am ddyn na wnaeth ddim byd ond glanhau toiledau cyhoeddus a darlunio tyrau dychmygol wrth eistedd yn ei stafell; dyn nad oedd yn licio siarad â phobl nac yn mynd ma's; na ffurfiodd unrhyw fath o berthynas serchus â neb erioed ac na symudodd yn bell o'i gartref glan môr yng Nghymru? Fe allwch chi wneud yr hyn a wnaed yn achos y ffilm lwyddiannus *Titanic*, sef anwybyddu'r hanes a dyfeisio eich stori'ch hun. A dyna sydd wedi cael ei wneud yn *Beynon*! Cafwyd Ioan Gruffudd i chwarae Howard (oes, mae angen ebychnod), a chan nad oedd Aberdyddgu yn ddigon da i fod yn Aberdyddgu yn y ffilm (oherwydd y glaw) ffilmiwyd y cyfan yn Dieppe (oes, mae angen ebychnod arall). Dangosir Howard yn gweithio yn ei stafell ar ei ddarluniau (hynny yw, argraffiadau o luniau go iawn Howard) ac yna yn crwydro o gwmpas y dref, yn mynychu caffés, yn canu (mae'r peth y tu hwnt i ebychiadau). Yna, yn anochel bron, mae'n cwympo mewn cariad gyda menyw o'r enw Amy a chwareir gan Drew Barrymore, sydd wedi penderfynu mabwysiadu acen Wyddelig am ryw reswm er ei bod yn dweud yn y ffilm ei bod hi'n enedigol o'r dref.

Cafodd y ffilm ei lambastio gan y beirniaid, ond er mai twrci oedd hi, fe lwyddodd i wneud tipyn o arian ac yn sgil ei phoblogrwydd daeth Beynon a'i waith yn fwy adnabyddus fyth! Mae'n debyg fod pobl sy'n prynu printiadau o waith Beynon ac yn gwisgo crysau-t â'i dyrau dros eu bronnau yn meddwl am Howard fel Ioan Gruffudd.

14 *Pen*-blwydd a *Ben*digeidfran

BŴM YN GOHEBU â menyw yn Toronto sy'n astudio gwaith Howard gan ddefnyddio dulliau gwyddonol. Mae hi'n cymharu pob tŵr, pob drws, pob ffenest, pob balconi, yr addurniadau o gwmpas y drysau a'r ffenestri, y tirluniau, y 'coed' – popeth, gan eu mesur a'u disgrifio'n fanwl a bwydo'r holl wybodaeth i'w chyfrifiadur. Gobaith Emma Garvey yw canfod yn y data hyn i gyd yr allwedd i ddeall yr ystyr y tu ôl i'r tyrau. Mewn gwirionedd, mae Ms Garvey yn ychwanegu at ac yn ymhelaethu ar waith Blann (a luniodd y mynegai i waith Howard sydd bellach yn anhepgor) a Mazillius a Martinez (ill dau wedi cymharu lluniau Howard â'i gilydd gan astudio'r amrywiadau mewn dyfnder).

"Yr hyn sydd yn fy nharo i," meddai hi mewn e-pistol ataf, "yw gallu rhyfeddol Beynon i beidio â'i ailadrodd ei hun. Mae pob un o'r tyrau yn wahanol o ran siâp, ni cheir yr un drws na ffenestr sy'n cyfateb yn gymwys i un arall, ac mae'r amrywiadau ar yr addurniadau'n ymddangos yn ddihysbydd a di-ben-draw. Er hynny, mae'r tebygrwydd rhwng y tyrau yn arwynebol, yn creu argraff o unffurfiaeth. Yr unig beth y gellir cymharu'r ffenomen yma ag ef yw pethau naturiol, organig, megis dail neu flew glaswellt sydd, er mor debyg ydynt i'w gilydd, yn unigryw fel y gwelir wrth edrych arnynt dan chwyddwydr." [Yn f'ateb i'r llythyr hwn nodais fy mod i wedi gweld yr un peth ac wedi gwneud yr un gymhariaeth yn union.] "Neu ynteu, fe ellir cymharu'r amrywiaeth o fewn y tebygrwydd yma â'r marciau ar flaenau'n bysedd."

Mae Ms Garvey yn credu fod sylfaen o ystyr i'r cyfan ac mae hi'n hyderus ei bod hi'n agosáu at ganfod yr iaith sy'n cuddio oddi fewn i ddarluniau Beynon.

Ar ôl iddi fyfyrio uwchben y lluniau am sawl blwyddyn, daethai i'r casgliad fod yma gwestiwn ieithyddol llythrennol, efallai. Ofnai ei bod hi ac ymchwilwyr eraill i waith J Howard Beynon o bosib yn colli rhywbeth gan nad oedden nhw'n deall Cymraeg. Dyna pam yr ysgrifennodd ataf i, gan ei bod hi'n gwybod fy mod i'n Gymro Cymraeg ac yn frodor o'r un dref â Beynon. Ymdaflodd Ms Garvey i astudio'r iaith Gymraeg. Daeth i Lambed i ymuno â'r cwrs Wlpan ddwy flynedd yn ôl, ac fel y gwelir o'i llythyr uchod, y mae hi bellach bron â bod yn feistres ar yr iaith.

Arweiniodd ei dealltwriaeth o'r Gymraeg i werthfawrogiad newydd a dyfnach o waith Beynon, meddai hi. Wrth gwrs, roeddwn i'n falch iawn o glywed hyn. Dro yn ôl cefais neges ganddi yn dweud, "Rwyf wedi gwneud nifer o ddarganfyddiadau mawr yn ddiweddar a chredaf fy mod ar drothwy amgyffrediad cyflawn o waith a meddwl J Howard Beynon.
Beth bynnag, y mae gen i ddamcaniaeth newydd a chwyldroadol (yn fy marn i) ac rwyf bron â bod yn barod i'w datguddio."

Yna, chwe mis yn ôl, cyhoeddodd ei syniadau (heb eu

dangos i mi gyntaf) yn *Progress: The Journal of J Howard Beynon Studies* dan y teitl 'Towards a New Understanding of Beynon – the Connection with Merlin'. Aeth ias oer drwy fy nghorff, rhaid cyfaddef, pan welais y teitl hwn. Cawswn i ar ddeall fod Ms Garvey yn ymchwilydd *bona fide* a bod ei hastudiaethau yn gwbl academaidd a chytbwys, ond suddodd fy nghalon pan welais yr holl symbolau a chysylltiadau ag Arthur, y derwyddon, y Mabinogi ac, ie, Myrddin, y daethai Garvey o hyd iddynt yn cuddio yn yr addurniadau o amgylch y tyrau.

Roedd rhai o'r cysylltiadau a welai yn mynd â'm gwynt. Er enghraifft, credai fod perthynas rhwng darluniau *pen*-blwydd Howard i'w fam a *Ben*digeidfran! Ac o'r pwynt hwnnw gallai hi weld pob math o ddolenni cudd a rhwydwaith o gyffyrddiadau rhwng darluniau Beynon a mytholeg pan-Geltaidd.

Pan ddarllenais yr erthygl nid oeddwn yn credu y byddai neb yn ei chymryd o ddifrif. Wyddwn i ddim y byddai'r dyfaliadau hanner pan yn cael eu derbyn fel rhyw fath o efengyl newydd parthed gwaith Howard ac y byddai pobl ar draws y byd yn sefydlu celloedd i drafod syniadau lloerig Ms Garvey gyda difrifoldeb crefyddol.

Mae'n wir fod sawl awdurdod ar waith Howard (Quatermaine, Mazillius, Curbishley i enwi rhai) wedi gwawdio Garvey a'i dilynwyr, ond nid yw hynny'n mennu dim arnynt – i'r gwrthwyneb, mae eu rhengoedd yn dal i dyfu a chwyddo. Mae Garvey yn ddarlithydd poblogaidd ac mae hi wedi llofnodi cytundeb â chyhoeddwr, gwerth cannoedd o filoedd o ddoleri, am lyfr sy'n ymhelaethu ar ei theoriau.

Yn y pen draw mae pobl yn credu'r hyn maen nhw'n dymuno'i gredu. Does dim angen prawf na thystiolaeth i'w hargyhoeddi. Prin yw'r berthynas rhwng gweithiau Beynon a honiadau Garvey amdanynt. Does dim gwahaniaeth am hynny. Llwyddodd Garvey i feddwl am stori a chanddi apêl poblogaidd ac mae gan gelwyddau dymunol gylchrediad ehangach na'r gwirionedd.

Rwy'n sicr o un peth; ni ddarllenodd Howard Beynon y Mabinogi erioed.

15 Darluniau Gwyrthiol

YN HWYR NEU'N hwyrach roedd rhywun yn siŵr o weld arwyddocâd crefyddol i waith J Howard Beynon.

Yn 2001 datganodd Amber Herbert fod Duw yn siarad drwy ddarluniau Beynon. Yn wir, meddai, roedd ei dyrau'n ymestyn i'r nefoedd i glodfori'r Arglwydd fel y mynyddoedd yn y Salmau.

Ar ymweliad ag Oriel y Tate yng Nghernyw yn 1998 gwelsai 'Three Towers' (Blann, 64) a chwympo mewn cariad â'r llun. Teimlai ei bod ym mhresenoldeb rhywbeth duwiol iawn (rhaid dweud fod Miss Herbert yn fenyw grefyddol iawn cyn hynny ac felly nid oedd darlun Howard wedi ysgogi unrhyw droedigaeth ynddi) a bod Duw yn siarad â hi drwy'r llun. Prynodd gopi o'r gwaith yn siop yr oriel ynghyd â phob llyfr ar waith Beynon a oedd ar werth yno. Roedd ei fywyd a'i waith yn ddatguddiad iddi. Credai hi fod ei ymgysegriad i'w ddarluniau yn fath o fywyd defodol, sagrafennol. Mewn gwirionedd addoli oedd amcan Beynon, meddai hi, wrth dynnu'i luniau bob dydd ac mai gweddïo yr oedd e. Dyna pam, meddai Miss Herbert, y teimlai cynifer o bobl ryw naws gariadus yn eu hamgylchynu (eu cofleidio, chwedl hithau) wrth sefyll o flaen un o'i dyrau.

Daeth Miss Herbert i Aberdyddgu ar bererindod, yn llythrennol (chwrddais i ddim â hi), ac ymhob man lle roedd cysylltiad â Howard teimlai ei bod yn dilyn ôl troed sant. (Aeth hi ddim i mewn i'r lle y treuliodd

Howard y rhan fwyaf o'i oriau, sef tai bach y dynion.)

Siaradodd Miss Herbert am ei phrofiad ar raglenni teledu a radio a dod yn eitha adnabyddus. Cysylltodd llawer o bobl â hi gan ddweud eu bod hwythau wedi cael profiadau trosgynnol os nad crefyddol wrth ymwneud â lluniau Beynon – boed y rheiny'n weithiau gwreiddiol go iawn neu brintiadau.

Ysgrifennodd dyn o Wlad yr Haf ati i ddweud fel roedd e'n colli'i olwg, ac yna un diwrnod gwelodd un o luniau Beynon (print) yng nghartref ffrind iddo a chliriodd ei lygaid yn y fan a'r lle. Mewn llythyr arall roedd hanes dyn ifanc oedd wedi codi o'i gadair olwyn i edrych ar un o ddarluniau Beynon mewn oriel yn Birmingham, a byth oddi ar hynny roedd e'n gallu cerdded yn berffaith. Roedd menyw yn ei phumdegau a chanddi gancr terfynol ac ar ei gwely angau yn llythrennol; dododd un o'i merched boster o un o dyrau Howard ar y wal yn ei stafell ac o fewn dyddiau teimlai'n well ac nid oedd ei doctoriaid yn gallu deall sut roedd y cancr wedi diflannu'n gyfan gwbl o'i chorff.

Roedd gan Amber Herbert gannoedd o storïau cyffelyb i'r rhain a chasglodd y cyfan ynghyd yn ei llyfr *Pointing to Heaven: Experiences of God and Healing with the Pictures of J Howard Beynon*. Ac mewn cyfweliad diweddar ar raglen deledu yn y bore dywedodd fel mae'r dystiolaeth yn dal i lifo i mewn ac mae hi wrthi'n paratoi ail lyfr (roedd yn awyddus i bwysleisio fod yr elw sy'n dod o'r llyfrau hyn yn mynd at achosion da).

Pwy all amau diffuantrwydd Miss Herbert a'i gohebwyr? Ond mi wn i un peth hyd sicrwydd; ar ôl marwolaeth ei wraig, ni thywyllodd Edward Beynon nac eglwys na chapel yn Aberdyddgu; troes ei gefn ar grefydd unwaith ac am byth. Ni fynychodd ei fab unrhyw addoldy fel oedolyn chwaith. Nid yw'r ffeithiau hyn yn gomedd y posibilrwydd fod Howard yn ddyn duwiol-frydig iawn yn ei ffordd anffurfiol a phersonol ei hun, wrth gwrs, a bod ei waith celfyddydol yn ffurf ar addoliad, fel y dywed Amber Herbert, ond yr argraff gref sydd gen i ar ôl astudio'i waith a'i fywyd dros gyfnod hir bellach yw nad oedd gan Howard iot o ddiddordeb mewn crefydd o gwbl.

16 Cheval/Chaud

MAE SAWL ARTIST yr Encilion wedi creu amgylchfyd *(environment)* neu gynefin er mwyn mynegi'r ysgogiad celfyddydol sy'n eu meddiannu. Mewn ffordd, gellir meddwl am ddarluniau pensaernïol Achilles Rizzoli a J Howard Beynon fel cynlluniau gogyfer â chynefin arfaethedig. Lluniai Bodys Isek Kingelez o Zaïr fodelau tri-deimensiwn allan o bapur gyda'r dymuniad o'u gweld yn cael eu hadeiladu rywbryd yn y dyfodol. Yn amlach na pheidio fe deimlir bod cynefin artist o Allanolyn yn estyniad rhesymegol o gymhelliad mewnol allan i'r byd ehangach dros y tirlun.

Dros gyfnod o ddeng mlynedd ar hugain, bron, cerfiodd yr offeiriad Adolphe-Julien Fouré ffigurau ar gerrig gwenithfaen ar lan y môr yn Rothéneuf, Llydaw. Cynrychiolai'r ffigurau hyn y môr-ladron a fu'n bla ar yr ardal yn yr unfed ganrif ar bymtheg. Ond artist oedd yn nes at waith J Howard Beynon oedd Ferdinand Cheval o Hauterives, yn ne-ddwyrain Ffrainc. Yn debyg i Howard roedd gan Cheval ei waith bob dydd, fel llythyrgludydd cyffredin. Un diwrnod fe welodd Cheval graig anghyffredin a chafodd y syniad o'i throi hi'n adeilad. Eto, yn debyg i Howard, nid oedd gan Cheval unrhyw addysg na hyfforddiant artistig na phensaernïol; serch hynny, fe aeth ati i lunio strwythurau gan ddefnyddio cerrig a choncrit ar fframweithiau metal. Dyma ei wir waith, gwaith mawr ei fywyd. Yn yr un modd â Howard, fe weithiai Cheval yn ystod ei amser sbâr ac yn ystod y nos, gan amlaf. Yn y diwedd ymestynnodd yr hyn a ddechreuasai gydag un garreg dros sawl erw, ac i fyny hyd at gant o droedfeddi. Deuai syniadau Cheval o luniau mewn llyfrau, ei atgofion am ei amser fel milwr yn Algeria ac am Ffair y Byd ym Mharis yn 1878.

Dyma lle y gwelir gwahaniaeth rhwng Cheval a Howard. Does neb, hyd yn hyn, wedi olrhain dylun-iadau Howard i unrhyw ffynonellau nac i ragredegydd pendant (dim ond i debygrwydd arwynebol cyffredinol i'r Hen Goleg fictoraidd yn Aberdyddgu). Yn hyn o beth y mae Howard yn unigryw; mae'n artist na chyffyrddwyd gan ddylanwad, hyd y gwyddys.

Peth arall am adeiladau ysblennydd Cheval sy'n wahanol i Howard a'i waith yw'r ffaith fod prosiect Cheval wedi tynnu sylw o'r dechrau. Gwyddai Cheval fod rhai o'i gymdogion yn meddwl ei fod yn wallgof, ond gan nad oedd yn gwneud niwed i neb ni chafodd ei rwystro rhag cario ymlaen gyda'i adeiladau ffantastig. Erbyn diwedd ei oes fe dyrrai pobl o bell i ymweld â'i greadigaeth. Yn wir, fe ellid dadlau nad artist o Allanolyn mo Cheval yng ngwir ystyr y term, gan i'w waith gael ei arddangos o'r cychwyn.

Y crëwr cynefin tebycaf i Howard o ran ei ddull o weithio a'i ffordd o fyw (ond nid o ran ei gynnyrch) yw Nek Chand. Lluniodd Chand y cynefin artistig mwyaf yn y byd, mae'n debyg, gan ddechrau yn 1958 ar bwys dinas newydd Chandigarh, India (un o brosiectau'r pensaer

Le Corbusier). Mae'r cynefin, sy'n dwyn yr enw syml 'Gardd Gerrig', bellach yn denu miliynau o dwristiaid bob blwyddyn ers iddo gael ei agor i'r cyhoedd yn 1976. Ond yr hyn sy'n rhyfedd a bron â bod yn anghredadwy o ystyried maint y prosiect, yw fod Chand wedi llwyddo i gadw'i waith yn gyfrinachol o 1958, pan ddechreuodd, hyd 1974. Fel Rizzolli, Cheval a Howard, roedd gan Chand ei waith bara beunyddiol o statws isel – ymchwilydd heolydd oedd e – ond dan gochl nos fe wnâi ei waith go iawn ar ddarn o dir o eiddo'r llywodraeth. Dyma un rheswm dros gadw'r cynllun yn gyfrinach – roedd yn anghyfreithlon.

Roedd creadigaeth Chand yn rhyw fath o genhadaeth, os nad yn waith sagrafennol. Roedd gan Chand athroniaeth Waldöaidd gan ei fod yn credu mewn brawdoliaeth ddynol fyd-eang ac mewn daioni sylfaenol. Mynegiant o'r ffydd yma yw'r Ardd Gerrig, sydd yn gorlifo â ffigurau dynol ac anifeiliaid wedi'u modelu mewn sement ac ynddo ddrylliau o wydr lliw a chrochenwaith. Casglai Chaud y darnau hyn o ysbwriel y ddinas ac o'r pentrefi a gliriwyd i ffwrdd i wneud lle i Chandigarh. Saif ei ffigurau mewn rhesi taclus, distaw, neu eisteddant mewn gerddi wedi'u hamgylchynu gan waliau cymen sy'n ffurfio gerddi oddi fewn i erddi eraill.

Bu Chand yn gweithio yn ddiwyd ar ei gynllun heb yn wybod i neb nes i'w waith gael ei ddarganfod yn ddamweiniol wrth i'r goedwig a amgylchynai'r ddinas gael ei chlirio. Fe syfrdanwyd yr awdurdodau gan faint a chywreinrwydd gwaith Chand ac yn lle ei ddinistrio yn ôl gofynion y gyfraith, fe welwyd ac fe werthfawrogwyd ei werth celfyddydol a diwylliannol.

Dyma lle mae gwahaniaeth rhwng hanes Chand a hanes Howard yn ymddangos. Rhoddwyd cyflog i Chand ynghyd â gweithlu o hanner cant o lafurwyr er mwyn iddo gael canolbwyntio'n llwyr ar gyflawni ei weledigaeth. Dros nos fe newidiodd statws Chand o fod yn artist o Allanolyn digefnogaeth i fod yn un cenedlaethol proffesiynol cydnabyddedig. Nid oedd amcanion na natur prosiect personol Chand yn wahanol iawn i waith Edward Leedskalnin, Adolphe-Julien Fouré a Ferdinand Cheval, ond ei lwc dda ef oedd iddo ennyn cydymdeimlad swyddogol ei gyd-ddinasyddion ac maent hwythau'n haeddu pob parch a chanmoliaeth am adnabod gwaith celf anghyffredin a'i gefnogi.

O blith artistiaid Allanol y mae hanes Chand yn gwbl unigryw yn hyn o beth. Heb unrhyw ymgyrch ar ei ran ef fe enillodd gydnabyddiaeth yn ystod ei oes ei hun. Amharod iawn yw awdurdodau Aberdyddgu heddiw i roi sêl eu bendith swyddogol ac ariannol i arddangosfa o waith Howard a ddeuai â llu o ymwelwyr i'r dref fach ddi-nod yma o bedwar ban byd.

17 Anturiaethau Darluniau

HYD Y GWN i, ni chafodd J Howard Beynon unrhyw beth tebyg i brofiad anturus yn ystod ei drigain mlynedd (bron) ac, ac eithrio marwolaeth ddamweiniol a thrasig ei fam, ni ddigwyddodd dim byd arswydus iddo erioed. Nid yw'r un peth yn wir am ei weithiau. Mae'r rheiny wedi teithio'r byd (yn wahanol i'w crëwr, na adawodd Aberdyddgu a'i chyffiniau) ac mae gan rai ohonynt gartrefi mewn llefydd sy'n fwrlwm o liw a bywyd megis Tocïo, Llundain, Paris, Efrog Newydd a Barcelona. Pe gallai rhai o'i ddarluniau siarad, byddai ganddynt storïau gwerth eu clywed.

Efallai y caniateir ailadrodd hanes 'Three Towers' (Blann, 67) a brynwyd gan oriel fechan breifat ym Mharis yn 1998. Trysorid y llun ac fe ddenid ymwelwyr rif y gwlith yno. Yna, yn 2000, pan agorwyd yr oriel un bore roedd y tri thŵr wedi diflannu. Nid oedd unrhyw olion i ddangos fod rhywun wedi torri i mewn i'r oriel yn ystod y nos, ac roedd darpariaethau diogelwch y lle heb eu hail, ond rhywsut neu'i gilydd roedd rhywun neu rywrai wedi llwyddo i dwyllo'r camerâu cylch cyfyng a symud y llun heb ysgogi'r larymau sensitif niferus a oedd ynghlwm ag ef, a'i gario oddi yno heb adael cliw. Amheuid rhai o staff yr oriel ar y dechrau, ond ni ellid cael unrhyw gyhuddiad i ddal dŵr yn erbyn yr un ohonynt. Wrth gwrs, cafodd y diflaniad gryn dipyn o sylw gan y cyfryngau ar y pryd, ond hyd heddiw erys tynged y llun yn ddirgelwch.

Roedd gan Oriel yr Harbour yng Nghaerfaddon gasgliad o saith o ddarluniau Howard. Arferai Oliver Holden ymweld â nhw'n feunyddiol. Yn wir, datblygodd obsesiwn yn eu cylch. Fe weithiai Holden mewn swyddfa gyfagos i'r oriel a bob amser cinio âi i eistedd yn yr ystafell lle roedd y Beynoniaid a bwyta'i frechdanau wrth syllu arnynt. Roedd staff yr oriel yn gyfarwydd ag ef. Doedd ganddo ddim diddordeb mewn unrhyw lun na cherflun arall. Dyfnder a eilw ar ddyfnder. Synhwyraf fod Holden wedi canfod rhywbeth yn narluniau Howard a oedd yn cyfateb i'w natur ef ei hun. Roedd e'n debyg i Howard, yn ar-ei-ben-ei-hunwr a wnâi'r un peth bob dydd, ddydd ar ôl dydd. Ond, hyd y gwyddys, nid oedd gan Holden noddfa greadigol, ac ni allai fynd i fyd amgen ei ddychymyg am gysur ac i ganfod seintwar i fyw ynddi.

Dyna pam efallai yr aeth Oliver Holden i ystafell y lluniau gan Beynon un diwrnod a heb rybudd ymosod arnynt gyda morthwyl. Cyn y gallai staff yr oriel ei rwystro – er ei fod yn ddyn bach tenau ac eiddil (fe gymerodd pedwar o ddynion i'w reoli) – gwnaethai niwed difrifol i dri llun a chawsai'r un cyntaf iddo'i dargedu ei ddifetha, bron.

Mae'r gwaith o adfer 'Three Towers' (Blann, 38), 'Five Towers' (Blann, 41) a 'Tower' (Blann, B 27) yn parhau ac fe gymer flynyddoedd i arbenigwyr eu hatgyweirio i safon arddangos. Ond beth am Oliver Holden? Mae'n cael triniaeth seiciatrig. Pan holwyd ef, ni allai esbonio pam yr ymosododd ar y lluniau.

Fe ymddengys fod rhywbeth yng ngwaith J Howard Beynon sy'n ennyn obsesiynau. Fe ladratawyd un o'r tyrau pen-blwydd ('Tower', Blann, B 18), un o'r gweithiau a ystyrir yn un o weithiau gorau Beynon, o gasgliad preifat (talasai'r perchennog dros ddwy filiwn o ddoleri amdano a hynny yn nyddiau cynnar enwogrwydd yr artist, mae'n werth llawer mwy heddiw) yn Efrog Newydd. Fel yn achos 'Three Towers' (Blann, 67) bu ffawd y llun hwn yn ddirgelwch am sawl blwyddyn. Yna yn 1999 fe arestiwyd dyn o'r enw Jack Lugg ar amheuaeth o ddelio mewn cyffuriau caled. Wrth fynd drwy'i fflat daeth un o'r heddweision o hyd i'r llun o'r tŵr wedi'i lapio mewn papur newydd mewn siwtces o dan wely sengl Jack Lugg. Roedd y fflat bychan yn llawn o lyfrau ar fywyd a gwaith Beynon, a'r waliau wedi'u gorchuddio â phosteri a phrintiadau a chopïau rhad o dyrau Howard.

Yn rhyfedd iawn, mewn ffrâm ar y wal uwchben ei wely, roedd yna argraffiad da, llawn maint, o'r llun gwreiddiol a oedd yn cwato dan y gwely. Roedd Lugg yn poeni am ddodi'r llun gwreiddiol ar y wal rhag ofn i rywun ei ddwyn!

Cyfaddefodd Lugg iddo ddwyn y llun am ei fod wedi ymserchu ynddo i'r fath raddau fel na allai fyw hebddo. Er mwyn ei ladrata, aethai Lugg i gryn dipyn o berygl a bu ond y dim iddo gael ei ddal, "ond roedd hi'n werth y drafferth," meddai mewn cyfweliad, "i gael byw yng nghwmni'r campwaith 'na am gwpwl o flynydde." Mae'r stori'n ein hatgoffa o Vincenzo Peruggia a gymerodd y 'Mona Lisa' o'r Louvre a'i chadw hi, fel y gwnaeth Jack Lugg, dan ei wely.

Un o'r unigolion cyntaf i adnabod gwerth darluniau J Howard Beynon oedd Miss Alice Sinclair. Doedd hi ddim yn un a gasglai waith celf, a doedd hi ddim yn fenyw arbennig o gyfoethog. Ar hap roedd hi'n cerdded yn Kensington, Llundain, pan basiodd Oriel Hewitt a Lythgoe yn 1996 a gweld un o luniau Howard yn y ffenestr. Aeth i mewn a chwympo mewn cariad â'i waith. Penderfynodd yn y fan a'r lle wario ei chynilion i gyd i brynu un o'r lluniau. Prynodd 'Tower' (Blann, B14). Roedd Miss Sinclair ar flaen y gad, fel petai, gan iddi brynu un o ddarluniau Howard cyn i'r beirniaid golli'u pennau amdano a chyn i'r orielau mawr, y miliynwyr o gasglwyr a'r masnachwyr celf ddechrau ymgiprys â'i gilydd am bob tamaid o bapur y gwnaethai Howard farc arno, nes i'r prisiau godi i'r entrychion. Talodd Miss Sinclair bris cymharol rhesymol am ei darlun.

Gweithiasai Alice Sinclair am y rhan fwyaf o'i hoes mewn llyfrgell. Roedd hi wedi ymddeol pan brynodd y llun, ac fel y nodwyd eisoes fe wariodd bron pob ceiniog oedd ganddi yn y banc i'w gael. Ond nid oedd hynny'n aberth anghyfrifol; roedd ganddi ei phensiwn a'i chartref ei hun, ac roedd hi'n fenyw ddarbodus wrth natur. Doedd hi ddim yn un i fynd ma's bob nos, doedd hi ddim yn yfed nac yn poeni am ddillad newydd, ffasiynol. Roedd hi'n hapus i dreulio'i henaint yn tendio i'w gardd, yn siarad â'i pharot, Cleitemnestra (cofiwch, roedd hi'n llyfrgellydd) ac yn gwylio rhaglenni fel *Countdown* a *Who Wants To Be a Millionaire?*, *The Weakest Link* a (ei hoff raglen) *Mastermind*. Yna roedd ganddi lun i'w werthfawrogi bob dydd ar wal ei lolfa, wrth ochr y teledu, ac roedd hi'n gallu gweld rhywbeth newydd ynddo bob dydd, meddai hi. Hefyd roedd y ffaith fod y llun hwn wedi cynyddu'n aruthrol o ran ei werth ers iddi ei brynu yn destun balchder iddi, er na fuasai'n ei werthu. Nid oedd hi wedi ei brynu fel buddsoddiad, eithr am ei bod wedi dwlu arno ac ar ôl ei weld yn yr oriel 'na ni allai fyw hebddo.

Unig deulu Alice Sinclair oedd ei nai, mab ei brawd, Martin, a'i wraig Sheila a'u plant Chardonnay a Paris. Roedd Martin yn deiliwr a hefyd yn landlord; prynasai sawl hen dŷ, eu hadnewyddu a'u rhannu'n fflatiau bach. Roedd gan Sheila siop drin gwallt. Rhyngddynt, felly, roedden nhw'n ddigon cefnog.

Aent i weld eu Modryb Alice unwaith y mis. Doedd Chardonnay a Paris ddim yn licio mynd gan fod Alice yn mynnu eu cusanu ill dwy ac roedd ganddi fwstas pigog ac roedd hi'n ogleuo'n od. Ond mynnai eu mam eu bod yn gwrtais wrthi gan ei bod hi'n rhoi bob o hanner can ceiniog iddyn nhw; roedd y tŷ (ni ddywedai hyn wrth y plant, eithr wrth Martin, nad oedd yn awyddus i alw ar Modryb Alice chwaith) yn siŵr o ddod iddyn nhw.

Yna, yn ystod un ymweliad, sylwodd Sheila ar y llun. Gwelsai luniau tebyg iddo mewn fframiau yn nhai ei ffrindiau. Holodd Alice amdano a dywedodd hithau'r stori am ei brynu ar fympwy. Ni soniodd am werth y llun, ond cafodd Sheila'r wybodaeth honno yn ei ffordd ei hun. Doedd ganddi ddim diddordeb mewn gweithiau celf, ond pan ddeallodd fod y llun yna ar wal Modryb Alice yn werth mwy na'r tŷ a'u cartref hwy a holl dai a fflatiau Martin gyda'i gilydd, yn sydyn fe enynnwyd ei diddordeb.

Roedd y tŷ a'r llun yn siŵr o ddod i Martin a hithau a'r merched – wedi'r cyfan, doedd gan Alice neb arall yn y byd, dim llawer o ffrindiau hyd yn oed. Yr unig broblem oedd fod Alice, er ei bod yn ei saithdegau, mor iach â chneuen. Roedd hi'n denau a sionc, cerddai i'r siopau cyfagos bob dydd, bwytâi'n iach – pum darn o ffrwyth bob dydd, a dim alcohol – doedd hi erioed wedi smygu, ac ni fu'n dost erioed yn ei bywyd. Gwaeth na hynny, roedd ei mam, mam-gu Martin, wedi byw i fod yn ddeunaw a phedwar ugain. Roedd Alice, felly, yn siŵr o fyw i fod yn gant, o leiaf. Oni bai iddi gwrdd â damwain.

Un noson, gadawodd Martin a Sheila eu plant dan ofal merch un ar bymtheg oed, Lisa. Roedden nhw'n mynd i'r sinema, medden nhw wrthi hi. Ond aethon nhw i dŷ Alice Sinclair, gan barcio'u car sawl stryd i ffwrdd a cherdded oddi yno. Aethon nhw i mewn dros y wal gefn ac yna gwisgo mygydau. Torrodd y ddau i mewn gan gogio bod yn lladron. Roedd Modryb Alice yn pendwmpian o flaen y teledu, mae'n debyg, pan afaelodd Sheila ynddi gerfydd ei breichiau a'i gorfodi hi i fyny'r grisiau. Yna rhoes Martin hwb iddi fel y cwympodd hi i lawr y grisiau. Ond wrth iddi gyrraedd y gwaelod doedd hi ddim wedi marw. Fe'i cariwyd hi lan unwaith eto a'i thaflu i lawr eto o'r gris uchaf i'r gwaelod. Roedd yr holl broses yn llafurus, yn lletchwith ac yn anniben. Ond yn y diwedd fe lwyddodd y ddau i ladd Alice Sinclair a'i gadael yno ar waelod y grisiau.

Rai dyddiau'n ddiweddarach, canfuwyd ei chorff gan gymdogion. Roedd yr heddlu'n ddrwgdybus o'r dechrau. Dangosodd astudiaeth fforensig nad oedd Alice Sinclair wedi cwympo'n ddamweiniol a bod ei hanafiadau'n awgrymu iddi gael ei thaflu i lawr y grisiau sawl gwaith. Ni chafodd yr heddlu fawr o drafferth i gysylltu'r anfadwaith â Martin a Sheila Sinclair. Dedfrydwyd y ddau i garchar am oes.

Ond, fel atodiad i'r stori drist yma, pan ddarllenwyd ewyllys Miss Sinclair, fe welwyd ei bod hi wedi gadael ei thŷ a'i heiddo i gyd, gan gynnwys llun Beynon, nid i Martin a Sheila, eithr i'r RSPB. Prynwyd y llun gan Oriel Genedlaethol yr Alban. Mae Cleitemnestra bellach yn byw gydag un o gymdogion Alice Sinclair.

18 Yr Adlach Anochel

ROEDD YR ADLACH i waith James Howard Beynon yn siŵr o ddod yn hwyr neu'n hwyrach. Roedd hi'n anochel. Un o'r cyntaf i fynegi anniddigrwydd oedd Waldemar Januszczak yn y *Sunday Times* ar achlysur arddangosfa adolygol o waith yr artist a drefnwyd gan yr Academi Frenhinol i nodi deng mlynedd o ymwybyddiaeth y cyhoedd am waith Beynon. *'Towers of Weakness'* oedd teitl ei adolygiad. Iddo ef roedd Howard yn werinwr di-ddysg, dihyfforddiant, heb ddim i'w ddweud, a'i waith yn gynnyrch meddwl niwrotig heb rithyn o ddiwylliant yn perthyn iddo. Neidiodd sawl beirniad ar y drol, gan ddilyn y ffasiwn diweddaraf o wneud cocyn hitio o waith Beynon. Yn sydyn daeth hi'n 'trendi' i sôn am "brinder geirfa" Howard, am "dlodi delweddol" ac am "gulni ei weledigaeth". Hyd yn oed yng Nghymru, gresynai Mihangel Morgan ein bod ni wedi gwneud eilun cenedlaethol o Howard ar gorn ei statws rhyngwladol, er nad oedd ganddo ddim i'w ddweud drwy gyfrwng ei waith am ein gwlad, ein diwylliant na'n hiaith. Artist oedd Howard, yn ôl Morgan, a oedd yn bodoli mewn rhyw dir neb, heb unrhyw gysylltiadau.

Ni chafodd sylwadau negyddol yr eunuchiaid di-ddawn hyn unrhyw ddylanwad o gwbl ar farn beirniaid callach, nac ar frwdfrydedd y cyhoedd am waith Howard. I'r gwrthwyneb, a barnu wrth y gynffon hir o bobl yn aros i fynd i mewn i'r Academi Frenhinol i weld yr arddangosfa bob diwrnod. Gwerthwyd catalog yr arddangosfa mor sydyn fel y penderfynodd yr Academi ei ailargraffu, a rhedeg trydydd argraffiad wedyn.

Serch hynny, cymharodd A A Gill boblogrwydd Beynon i'r holl argraffiadau o'r ddynes werdd a werthid ar un adeg, gan ensynio fod yna rywbeth di-chwaeth ynglŷn â'r hoffter o'i luniau. Yn fuan wedyn fe brynwyd un o luniau Howard ('Five Towers', Blann, 88) gan rywun o'r enw Rupert Murdoch. Mae'r brodyr Barclay, Paul McCartney, y teulu Walton, Madonna, Oprah Winfrey, Bill Gates a Muhamed Al-Fayed ymysg y rhestr ddethol o enwogion sy'n casglu gwaith Beynon. Anaml y daw ei luniau ar y farchnad, ac mae'r ffaith fod pobl fel yr uchod yn tynnu torch â'i gilydd am ei waith yn golygu fod y prisiau'n sicr o ddal i godi i'r entrychion.

Wrth feddwl am hynny, mae bywyd tlawd Howard, cybydd-dod ei dad, ei waith bob dydd anghysurus a diffyg cysur ei gartref yn ymrithio o flaen fy llygaid. Beth a wnâi Howard, ys gwn i, o'r holl ddadleuon hyn ynghylch gwerth ei luniau ac am y prisiau sy'n cael eu talu amdanynt? Ac i ble mae'r holl arian yn mynd? Pwy sy'n elwa? Neb o deulu na chymdogion Howard. A phe cawsai ef ei dalu un o'r prisiau aruthrol hyn am ddim ond un o'i luniau yn ystod ei oes, rwy'n siŵr na fyddai Howard wedi gwneud dim ond cario ymlaen fel yr oedd yn ei ffordd ei hun, heb newid ei ffordd o fyw o gwbl.

19 Y Ffugiadau

MAE'N BRYD SÔN am ffugiadau o waith J Howard Beynon. Nid arferai Howard lofnodi ei waith, yn wahanol i'r rhan fwyaf o arlunwyr amatur (wedi'r cyfan, dyna beth oedd Beynon yn y bôn) sydd gan amlaf yn torri'u henwau mewn lle amlwg ac mewn llythrennau bras du. Yn wir, pan welwch chi lofnod fel 'na, gallwch deimlo'n hyderus mai amatur yw'r artist. Yr eithriad amlwg i'r rheol hon yw Van Gogh a'i dorcalonnus 'Vincent' mawr du yng nghornel ei luniau. Roedd amharodrwydd Beynon i arwyddo'i waith yn rhan o'i duedd i guddio rhag y byd ac i ddileu pob elfen o'i bersonoliaeth ei hun. Ni sylweddolai fod hynny'n gwneud ei waith yn haws i'w ffugio. Go brin y meddyliodd Howard erioed y byddai neb yn ceisio gwneud ffugiadau o'r lluniau yr oedd ef yn eu gwneud am ddim rheswm ond i'w blesio'i hun.

Cyn i Blann sefydlu ei fynegai yn 2005, nid oedd yn anodd i ffugiwr medrus greu darluniau yr un ffunud bron â rhai Beynon.

Ymddangosodd nifer o luniau a briodolwyd i Beynon yn ne Ffrainc ar ddiwedd y nawdegau. Gwerthwyd llun o dri thŵr am £250,000 cyn i arbenigwyr ar waith Beynon holi cwestiynau ynghylch tarddle'r darlun hwn ac eraill a fu ar werth gan Oriel Frédéric Lemaître. Dywedodd perchennog yr oriel fod y lluniau wedi eu rhestru yng nghatalog Hewitt a Lythgoe. Roedd hi'n anodd gwrthbrofi hynny gan fod cynifer o weithiau

Howard yn cydymffurfio â'r un disgrifiad (tŵr, tri thŵr, pum tŵr, saith tŵr). Ond roedd rhywbeth amheus am y cnwd hwn o ddarluniau. Nid oedden nhw'n meddu ar yr un naws anghyffredin ag sy'n hydreiddio pob un o luniau go-iawn Howard. Mae'n gymharol hawdd copïo strwythurau pensaernïol J Howard Beynon, ond peth arall yw dal yr ysbryd tyner a chywrain sy'n rhan o'u hanfod. Nid oedd perchennog yr oriel yn barod i Blann a Mazillius archwilio'r lluniau (ac yn naturiol, yn sgil hynny, cynyddodd y ddrwgdybiaeth yn ei erbyn) ond roedd y casglwr a dalodd chwarter miliwn am un ohonynt yn ddigon bodlon iddynt archwilio'r llun a brynasai – wedi'r cyfan, roedd yntau'n dechrau pryderu ynghylch gwerth y llun. Felly, cafodd nifer o awdurdodau ar waith Beynon gyfle i edrych ar y llun hwnnw'n fanwl a chymharwyd ef â rhai o weithiau go-iawn yr artist, gan ddefnyddio dulliau technolegol a gwyddonol manwl. Profwyd y tu hwnt i amheuaeth fod y llun yma'n un ffug (roeddwn i'n bersonol wedi teimlo'n sicr o hynny pan welais ffotograff ohono). Olrheiniodd yr heddlu y llun yn ôl at ddyn o'r enw Michel Heusbourg a gawsai ei dalu gan Oriel Roselight i wneud y ffugiadau.

Ers i Blann lunio'i fynegai, y mae'n anos i ffugiadau ddod i'r wyneb. A diolch i achos Heusbourg, sefydlwyd nifer o feini prawf fel ei bod yn haws adnabod gweithiau dilys Howard.

20 O *Snow White* i *Last Tango in Paris*?

O BRYD I'W gilydd, a minnau'n meddwl fod pob cornel o fywyd a gwaith J Howard Beynon yn gwbl hysbys inni i gyd, y mae rhywbeth newydd amdano yn cael ei ddarganfod, neu daw rhywbeth i daflu goleuni newydd ar ei waith.

Mewn astudiaeth flaengar ar y cyfluniad o ffenestri yn adeiladau Beynon, dangosodd Jowan de Gaunza na cheir ond cyfuniadau odrif o ffenestri. Cred de Gaunza fod arwyddocâd nifer y ffenestri, sy'n ddirgelwch inni ar hyn o bryd, yn allweddol i bob un o'i weithiau unigol. Rhaid cyfaddef fy mod i'n gorsymleiddio canlyniadau'i asesiad yn chwyrn yma, a hwyrach nad wyf yn deall ei ddamcaniaeth yn llwyr, gan ei bod yn hynod o dechnegol a rhifyddol. Ond teimlaf taw dyma agwedd nad oedd neb wedi'i hystyried o ddifri o'r blaen ac erbyn meddwl amdani yr ydym i gyd yn symud yn nes at amgyffrediad cyflawnach o waith yr artist.

Tra bod ymchwil byd-eang i waith Howard yn mynd rhagddo, gan ildio mwy o wybodaeth bob yn dipyn bach, yr wyf i, yn fy ffordd fach fy hun, yn parhau â'm hymchwil personol a lleol, ac yn dal i ddod o hyd i fwy o ddeunydd, er mawr syndod i mi bob tro. Er enghraifft, yr wyf i newydd gwrdd â menyw o'r enw Non Meidrym a aeth i weithio yn siop Edward Beynon ychydig flynyddoedd cyn ei farwolaeth. Daeth hi i adnabod Howard yn o lew, meddai hi, a chadwodd mewn cysylltiad ag ef hyd yn oed ar ôl i'r siop gau.

Byddai hi'n ei weld o dro i dro ar hyd y dre a bob amser yn stopio i geisio tynnu sgwrs ag ef; doedd dim gwahaniaeth ganddi hi pa mor gyndyn oedd Howard i ateb ei chwestiynau, byddai hi'n ei holi'n dwll. Soniodd Howard erioed am ei ddarluniau wrthi hi – yn wir wyddai hi ddim byd am eu bodolaeth – ond yn aml fe'i daliai yn dod ma's o sinema'r Palladium ar ddydd Iau tua phedwar o'r gloch. Pan ddywedodd hyn, bu ond y dim i mi lyncu fy nghetyn pib (trosiadol). Wedi'r cyfan, ni chaniatâi Edward Beynon radio yn ei gartref, heb sôn am deledu, ac ni phrynodd Howard y naill na'r llall pan oedd yn byw ar ei ben ei hun. Am ryw reswm allwn i ddim credu bod Howard wedi ymweld â sinema erioed.

"Be?" ebychais mewn anghrediniaeth apoplectig, "wedi bod yn gweld ffilm?"

"Wel, wrth gwrs, am ba reswm arall mae dyn yn mynd i'r sinema?"

"Ie, ond Howard! Go brin ei fod e wedi gweld llawer o ffilmiau."

"Wel, wedi'ny ffindes i ma's ei fod e'n mynd i'r sinema'n rheolaidd. Bob wythnos, bob prynhawn dydd Iau. Dyna'i ddiwrnod bant o llnau'r toiledau. Oedd e'n lico mynd yn y prynhawn ar y dydd Iau, wa'th oedd y lle bron yn wag."

"Os unrhyw amcan 'da chi pryd y dechreuodd e'r arfer 'ma?"

"Nac oes."

"Oedd e'n arfer mynd yn nyddiau'i dad?"

"O, oedd."

Roedd hynny'n mynd â ni yn ôl at ddiwedd y saithdegau. Wedyn cysylltais â mab Felix MacPherson, cyn-berchennog y Palladium, i ofyn a oedd ei dad, efallai, wedi sylwi ar unrhyw fynychwyr cyson â'r sinema. Rheolwr oedd ei dad, meddai Adam MacPherson, ond gallwn i dreio cysylltu â rhai o'r merched a werthai'r tocynnau ac a dywysai'r cwsmeriaid i'w seddi yn yr hen ddyddiau ac a werthai'r hufen iâ yn ystod yr egwyl. Syniad da. Ac ar ôl tipyn o waith ditectif eto, fe lwyddais i olrhain dwy hen fenyw a arferai weithio yn y Palladium yn eu hieuenctid, sef Maisie Reynolds a Siwsi Jenkins. A oedden nhw'n cofio James Howard Beynon yn mynd i weld ffilmiau ar brynhawniau Iau?

"Oedd e'n arfer eista ar ei ben ei hun yn y cefen," meddai Maisie.

"Doedd e byth yn prynu eis crîm, nac yn siarad â ni er bod e'n gweld ni bob wythnos," meddai Siwsi.

Fe ymddengys, felly, ei bod yn eithaf posibl fod Howard wedi gweld rhychwant eang o ffilmiau, yn amrywio o *Snow White* i *Last Tango in Paris*. Liciwn i wybod pa ffilmiau yn union a welodd. A welodd Dumbo yn hedfan gerfydd ei glustiau, a Bette Davis yn darogan ei bod hi'n mynd i fod yn *"bumpy night"*, ac Ursula Andress yn codi o'r môr, Marlon Brando a'i fochau'n llawn wadin a hiraeth ET am ei gartref?

Mae'r ffaith fod Howard wedi gweld cannoedd o ffilmiau o America, o bosib, yn gweddnewid ein syniad ohono. Rhaid bod ei orwelion yn ehangach a'i wybodaeth o'r byd yn ddyfnach na'r ddelwedd a oedd gennym o'r meudwy cul ei fywyd. Ond, hyd y gwelir, ni chafodd y ffilmiau hyn odid ddim effaith na dylanwad ar ei waith creadigol. Yr oedd Howard nid yn unig yn *'unscathed by artistic culture'*, a defnyddio termau Dubuffet, eithr heb ei anafu gan ddiwylliant yn gyffredinol, hyd yn oed ei ddiwylliant ei hun ac isddiwylliant ei oes. Er bod delweddau poblogaidd a lluniau ffotograffig yn cael eu defnyddio'n aml gan lawer o artistiaid o Allanolion, ni cheir yr elfennau hyn yng ngwaith Beynon. Yr oedd ef yn nes at ddelfryd Dubuffet o'r artist pur, cysefin, greddfol, â'i gelfyddyd yn codi ohono fel ymateb anorchfygol i'w fywyd mewnol, heb ei lygru gan hyfforddiant academaidd. Ac mewn ffordd ddiddorol, roedd absenoldeb unrhyw gyfeiriad at y sinema yn ei ddarluniau fel petai'n tanlinellu ei anallu i gydweithredu â'r byd, a'i ddifaterwch ynglŷn â blaenoriaethau cyffredinol cymdeithas.

21 Tipyn o Gyfrifoldeb

WEITHIAU, MAE BOD yn berchennog ar un o ddarluniau J Howard Beynon yn destun balchder. Does dim yn rhoi mwy o bleser i mi na syllu ar y llun hwn a mynd i mewn iddo – i mewn i fyd cysurus, saff yr artist ei hun, fel petai. Gallwn ei astudio am oriau, ac wrth wneud hynny daw â rhyw dangnefedd i'm hysbryd. Ond, weithiau, mae bod yn geidwad y llun hwn yn peri gofid i mi, gwaetha'r modd. Mae'n amhosibl ei yswirio – mae'n werth mwy na'm cartref. Ac mae'n unigryw, beth bynnag. Beth petai'r tŷ yn mynd ar dân – braidd yn felodramatig, ond posibl – neu beth petai tamprwydd, neu wres, yn ei niweidio? Mae cadw llun fel hwn yn gyfrifoldeb ac yn rhwymedigaeth.

Ac ar wahân i'r peryglon atmosfferig a damweiniol a allai ei andwyo, mae yna ystyriaeth arall sy'n fy mhoeni. Lladrad. Yn ddiweddar bu sawl lladrad yn yr ardal hon. Dynion yn torri i mewn i dai ar fympwy ac yn dwyn pethau – nid yn y nos yn unig ond weithiau liw dydd. Torrwyd i mewn i dŷ fy nghymdogion, Bernard a Joyce Renshaw, bythefnos yn ôl a chymerwyd y teledu, y chwaraeydd fideo a di-fi-di, ffôn symudol, y pethau trydan arferol, ond hefyd cymerodd y lladron gelfi antîc, lluniau oddi ar y waliau a thlysau Joyce. Lladron â chwaeth!

Afraid dweud, bob tro y bydda i'n mynd ma's bydda i'n cuddio'r llun. Byddai'n anodd i ladron ddod o hyd iddo ar hap. Ond yn f'achos i mae yna bobl sy'n gwybod am fodolaeth y llun yma, pobl sydd â diddordeb yng ngwaith Beynon yn benodol. Camgymeriad oedd i mi sôn amdano wrth rai. Rwy'n sylweddoli hynny nawr. Rhy hwyr. Mae'r dref hon yn denu edmygwyr Beynon, yn anorfod, ac ofnaf fod rhai o'r pererinion hyn yn gwybod amdana i ac am y llun yma. Mae gen i larwm ar y tŷ, ond ofnaf weithiau fod hwnnw'n hysbysu lladron o'r ffaith fod yma rywbeth gwerth ei ddwyn. Ond dydw i ddim mor bathetig o ofnus â'r creaduriaid dosbarth canol yna sy'n gadael golau ymlaen ar y landin drwy'r nos yn y gobaith ffôl o dwyllo lladron fod pobl gartref ac ar ddi-hun, yn barod amdanynt.

A beth am yr holl luniau yna sydd gan Ioan Davies ar ôl ei dad? Rwyf i wedi cadw'r rheiny'n gyfrinach hyd yn hyn, felly does dim cymaint o berygl iddyn nhw o du ffans Howard. Ond weithiau bydda i'n pryderu am gyflwr y lluniau 'na. Ydy Ioan yn edrych ar eu holau nhw'n iawn? Gobeithio nad oes dim lleithder ble bynnag mae'n eu cadw nhw. Gobeithio nad yw'n cadw rhai ohonynt yn y stafell ymolchi na'r gegin. Duw a'n gwaredo! Ydy e wir yn gwerthfawrogi pwysigrwydd y lluniau 'na? Unig weithiau lliw Howard, ei unig beintiadau mewn gwirionedd. Mae 'na berygl iddo dorri'r casgliad lan drwy roi un neu ddau i'w fab, un neu ddau i'w ferch, un i'w frawd-yng-nghyfraith, ac yn y blaen. Dylai'r lluniau yna gael eu cadw gyda'i gilydd. Mae gan Ioan Davies dŷ mawr braf – dyn dosbarth canol cymharol gefnog yw e – ond dyw ei dŷ ddim yn oriel gelf, felly dyw'r lluniau ddim yn gwbl ddiogel yn ei feddiant. Gwn fod rhai ohonynt yn cael eu harddangos yn gwbl agored ar ei waliau. Wel nawr te, petasai rhywun wrth ymweld â'i dŷ yn sylweddoli pa mor werthfawr yw'r lluniau 'na byddai'n beth hawdd torri i mewn i'r tŷ – neu dalu i ryw fachgen dorri i mewn – gan dynnu'r llun i lawr oddi ar y wal, a bant â chi.

Peth arall, tra bod y lluniau hyn yn cael eu cadw gan Ioan a finnau, ni all neb (ond y fi) eu hastudio, ac felly mae'n dealltwriaeth o yrfa artistig Beynon yn anghyflawn. Mae hyn yn rhoi mantais i mi dros ymchwilwyr eraill, mi wn, ond y peth callaf i'w wneud fyddai trosglwyddo'r lluniau hyn i'w cadw mewn oriel o safon er mwyn iddynt gael y gofal priodol a chael eu catalogio a'u hastudio. Felly, mae'n ddyletswydd arnaf i geisio dwyn perswâd ar Ioan i roi ei gasgliad ar fenthyciad parhaol i ryw sefydliad cenedlaethol. Oni bai iddynt gael eu dwyn o'i gartref cyn hynny...

22 Y Llun Melltigedig

MAE UN O dyrau unigol Howard ('Tower', Blann, 29B), un o'i luniau pen-blwydd i'w fam yn hongian yn Oriel Amgueddfa Longridge, Preston, Lancashire. Mae'n un o brif atyniadau'r oriel, gyda channoedd yn mynd i'w weld bob wythnos a phrintiadau, posteri, crysau-t a chopïau ohono ar fygiau a bathodynnau ac yn y blaen, yn gwerthu'n dda yn siop yr amgueddfa.

Ond yn ddiweddar fe honnwyd fod y llun hwn yn felltigedig. Ydy, mae'n denu ymwelwyr ac yn sgil hynny arian ac elw i'r sefydliad, ond hefyd mae'n dod ag anlwc. Yn fuan ar ôl i'r llun fynd i fyw yno fe aeth rhan o'r adran, lle y lleolid y tŵr, ar dân ac fe losgwyd gweithiau celf a chreiriau hanesyddol gwerthfawr. Roedd achos y tân yn ddirgelwch. Yn fuan wedyn bu farw curadur yr amgueddfa dan amgylchiadau anesboniadwy. Yna, sylwodd y staff fod pob tywysydd a weithiai yn y stafell lle roedd y tŵr, un ar ôl y llall, wedi cwrdd â rhyw anffawd neu'i gilydd. Cafodd un ddamwain car; cafodd un arall gancr; wrth fynd ar ei wyliau daliodd un glefyd trofannol difrifol; cafodd un fenyw ei threisio ym maes parcio'r amgueddfa wrth adael y gwaith; cafodd un arall ysgariad ar ôl bod yn briod am dros ugain mlynedd, ac yn y blaen. Cyd-ddigwyddiadau? Nid oedd yr un rhediad o anffawd yn dilyn staff na weithiai yn stafell tŵr Beynon (fel yr adnabyddid y llecyn). Yna, pan aeth un tywysydd adre ar ôl diwrnod yn y stafell honno a gwneud amdano'i hun drwy'i grogi'i hun, fe ddechreuwyd sôn am 'Felltith Tŵr Beynon' ac fe wrthododd ambell aelod o'r staff fynd yn agos at y darlun.

Un diwrnod, prynodd Jennifer Miles argraffiad da o'r Tŵr yn siop yr amgueddfa ac ar ôl ei fframio fe'i rhoddodd i hongian yn ei fflat. Yn fuan wedyn aeth ar ei gwyliau i Sbaen. Yno fe ymosodwyd arni a dwyn ei harian a'i phasbort a'i thocyn yn ôl i Brydain. Cafodd hi gryn drafferth i gael pasbort arall yn lle'r un a ddygwyd oddi arni ac i gael tocyn i ddod yn ôl. Yn Sbaen hefyd fe gafodd wenwyn bwyd a bu'n dost hyd ddiwrnod olaf ei gwyliau. Hefyd, wrth ddod allan o'i fflat un noson, baglodd ar y grisiau a thorri'i choes. Cafodd gyfres o ddamweiniau bach, anhwylderau ac anlwc wedyn. Cafodd ei char ei ddwyn a daeth yr heddlu o hyd iddo wythnos yn ddiweddarach wedi'i losgi a'i adael ar ochr yr heol filltiroedd i ffwrdd o'r dref. Pan gafodd ei chath annwyl Mr Candiffloss ei ladd gan lwynog (gwelodd Jennifer y peth yn digwydd o ffenestr ei fflat ond ni allai wneud dim i helpu ei chath) penderfynodd gael gwared o'r argraffiad o'r llun gan Beynon gan ei bod wedi sylwi fod yr holl bethau ofnadwy hyn wedi digwydd ar ôl iddi ei brynu. Ac yn wir, fe welodd fod ei lwc wedi rhoi tro er gwell, wedi'ny. Felly, fe briodolodd y pethau cas a ddaethai i'w rhan hi i'r llun.

Yn ddiweddar y mae mwy a mwy o bobl wedi dod ymlaen gyda storïau am anlwc yn dod iddynt yn sgil rhyw gysylltiad â'r llun o'r tŵr yn Oriel Amgueddfa Longridge. Mae'r dystiolaeth hon yn mynd yn gwbl groes i'r arferol am lwc a'r gwyrthiau, hyd yn oed, yn cael eu priodoli i waith Howard. Fel rheol, mae ei luniau'n gwneud pobl yn hapus, yn codi'u calonnau a gwneud iddynt deimlo'n well. A dyna beth sy'n od am y tŵr yn Oriel Amgueddfa Longridge; mae'r llun yn denu pobl, mae'n hynod o boblogaidd, mae pobl yn hoff iawn o'r llun, ond am ryw reswm mae wedi cael yr enw o fod yn hebryngydd anlwc.

Yn bersonol, nid wyf yn credu bod lluniau'n gysylltiedig â lwc dda neu lwc ddrwg. Cyd-ddigwyddiadau yw'r pethau 'ma ac nid yw'r lluniau yn gyfrifol am ddim byd. Ond, mewn ffordd, y mae'r ofergoeliaeth hyn yn arwydd arall o bŵer delweddau J Howard Beynon.

23 Tebyg Ond Heb fod yn Debyg i'w Gilydd

UN O DDIRGELION mwyaf darluniau J Howard Beynon yw ei ffynonellau. O ble y daw'r strwythurau pensaernïol hyn? Fe nodwyd sawl gwaith y tebygrwydd rhwng ei adeiladau ef a'r Hen Goleg neo-gothig-fictoraidd ffantasïol yn Aberdyddgu. Ac yn aml iawn, wrth weld ei luniau am y tro cyntaf, mae pobl yn nodi cyffelybrwydd rhwng tyrau Howard a'r cestyll a gomisiynwyd gan Ludwig II, brenin Bafaria, Neuschwanstein a Herrenchiemsee. Ond mae eraill wrth drafod ei waith yn cymharu ei ddarluniau â – a dyma ddetholiad yn unig (bûm yn cadw cofnod o'r cymariaethau a dyma'r rhai sy'n codi fynychaf):

- tŵr gogwyddol Pisa (dyma un o'r cyffelybiaethau mwyaf cyffredin) sydd yn waith Rhufeinaidd gan bensaer anhysbys 1173–1350
- Mont Saint-Michel a adeiladwyd rhwng yr wythfed a'r bedwaredd ganrif ar bymtheg ar gomisiwn gan yr Esgob Aubert mewn arddull Rhufeinaidd eto, gydag ychwanegiadau gothig diweddarach
- tyrau Petronas a godwyd yn 1998 gan Cesar Pelli a'r peirianwyr strwythurol Thornton-Thomasetti yn Cuala Lwmpwr, Malaysia, mewn arddull ôl-fodernaidd
- y Chicago Tribune Tower, 1922–25, a ddyluniwyd gan Raymond M Hood a John Mead Howells mewn arddull neo-gothig
- y Potala yn Llasa, Tibet, a gomisiynwyd gan y pumed

Dalai Lama ac a adeiladwyd rhwng 1645–93

- y Taj Mahal, Agra, India, a gomisiynwyd gan yr Ymerawdwr Shah Jahan ac a adeiladwyd mewn marmor yn yr arddull Mughal rhwng 1631–53
- Amgueddfa Guggenheim yn Efrog Newydd a ddyluniwyd gan Frank Lloyd Wright, 1956–59, yn yr arddull organig
- Habitat, Montreal, Canada, a ddyluniwyd gan Moshe Safdie yn 1967, mewn arddull fodernaidd
- Adeilad Chrysler gan William Van Elen, 1929–30, mewn arddull art deco
- Anghor Wat, Cambodia, Khmen Hindw o'r ddeuddegfed ganrif
- Notre Dame du Haut, Ronchamp, Ffrainc, a ddyluniwyd gan Le Corbusier (Charles Edouard Jeanneret) yn 1950–55 mewn arddull fynegiannol.

Ond mae gwaith un pensaer yn cael ei godi'n amlach na phob un arall, sef Gaudí; yn arbennig sonnir am ei Sagrada Familia yn Barcelona wrth gyfeirio at dyrau Howard.

Yr hyn sy'n ein taro wrth feddwl am yr arolwg yma yw'r amrywiaeth sydd ynddo. Ni ellir canfod unrhyw debygrwydd rhwng Notre Dame du Haut gan le Corbusier, dyweder, a thyrau Petronus yn Cuala Lwmpwr, na chwaith rhwng tŵr Pisa ac Amgueddfa Guggenheim, Efrog Newydd gan Frank Lloyd Wright. Dyma sy'n rhyfedd; er mor annhebyg yw'r holl adeiladau hyn i'w gilydd, y mae'n bosib gweld pam y mae pobl yn sôn amdanynt yng ngoleuni gwaith Beynon. Mae ei dyrau ef yn debyg i bob un o'r enghreifftiau hyn, heb fod yn hollol debyg i'r un ohonynt.

Yn wir, go brin y byddai Beynon wedi gweld llun o Habitat, Montreal, neu Notre Dame du Haut; ac fe godwyd tyrau Petronas ar ôl ei farwolaeth. Mae'n eithaf annhebygol hefyd, yn fy marn i, ei fod e wedi gweld lluniau o bensaernïaeth Gaudí.

Yn arwynebol y mae rhyw debygrwydd o ran naws rhwng tyrau Gaudí a rhai Beynon, ond o graffu yn fanylach fe welir cryn dipyn o wahaniaeth. A bydd rhai'n siŵr o sylwi nad tŵr mo Notre Dame du Haut (mae'n agosach at fod yn fwthyn) – nac ydyw, ond mae rhywbeth bythynnaidd am dyrau Beynon, felly mae'r gymhariaeth yn ddealladwy. Yn yr un modd, nid yw'r Guggenheim yn Efrog Newydd yn dŵr, ond mae elfen organig gref ym mhob un o ddarluniau Beynon. Nid tŵr chwaith mo'r Habitat ym Montreal, ond ffurfia Beynon ei dyrau o flociau sydd, weithiau, yn pontio gagendor, ac mae'r holl falconïau arno yn dwyn i gof strwythurau Beynon.

Gellir mynd fel hyn drwy'r holl weithiau pensaernïol y cyfeiriwyd atynt uchod, gan sylwi ar y nodweddion a berthyn iddynt ac i waith Beynon. Nid bod Beynon yn eclectig. Yn fy marn i, fe ddaeth i feddwl am yr holl ddyfeisiau pensaernïol hyn mewn ffordd gwbl annibynnol a greddfol. Cadarnheir y dybiaeth hon gan astudiaeth newydd Sonya Smyrell, 'A Quest for

Influences on the Architectural Drawings of Beynon', *Progress*, 2006. Ni ddaeth Dr Smyrell o hyd i'r un enghraifft o ddylanwad digamsyniol ar waith Beynon; yn wir, ni allai ddod o hyd i unrhyw elfennau a oedd yn gwbl unwedd â gwaith pensaernïol y gwyddai hi amdano. Gan dybio (fel y mae llawer o ddilynwyr Howard yn ei wneud) mai ei brif ddylanwad oedd adeilad amlycaf Aberdyddgu, sef yr Hen Goleg, craffodd Smyrell ar bob tŵr, to a ffenestr a berthyn i'r hen le, ac er iddi sylwi ar ryw debygrwydd cyffredinol arwynebol, ni ddaeth o hyd i'r un fodfedd a gyfatebai'n union â darluniau'r artist. Casgliad Smyrell oedd fod gwreiddioldeb a dyfeisgarwch Howard yn wirioneddol syfrdanol. Saif ei waith ar ei ben ei hun, y tu allan i holl bensaernïaeth y byd.

Hydreiddir darluniau Beynon gan deimlad organig ac mae gan bob un o'i dyrau ei bersonoliaeth ei hun. Hyn sy'n denu pobl atynt, ac oni bai am yr hud annisgrifiadwy yma go brin y byddai lluniau pensaernïol mor boblogaidd. Ond er ein bod ni'n sôn am 'bersonoliaeth', ni cheir dim byd dynol neu anthropomorffaidd ar eu cyfyl. Nid yw'r ffenestri'n ffurfio llygaid, na'r drysau yn dynodi cegau na dim byd fel 'na.

Y mae rhai wedi gofyn a fyddai'n bosibl adeiladu un o dyrau Beynon? Erbyn hyn atebwyd y cwestiwn sawl gwaith, yn gadarnhaol. Mae nifer o bobl, yn annibynnol ar ei gilydd, wedi adeiladu modelau o dyrau Howard. Defnyddiwyd amrywiaeth rhyfeddol o adnoddau – pren, cardbord, clai i wneud modelau seramig, matsys, metal ac yn y blaen. Y mae o leiaf un crefftwr, Robert Grafton, Gwlad yr Haf, yn gwneud bywoliaeth lewyrchus o wneud modelau seramig wedi eu seilio'n fanwl ar batrwm lluniau Beynon. Amrywia ei dyrau o ddeunaw modfedd o uchder i dair troedfedd a hanner (yr un mwyaf, hyd yn hyn). Yr her, efallai, fyddai adeiladu tŵr yn seiliedig ar un o luniau Howard y gallai pobl fynd i mewn iddo. Ac er mor ffantasïol y mae'r syniad yn swnio, y mae si ar led ar y we fod miliwnydd o Siapan eisoes wedi comisiynu pensaer i drosglwyddo darlun o dŵr gan Howard i gynllun er mwyn gwireddu ei freuddwyd o leoli'i swyddfeydd yn un o adeiladau dychymyg godidog yr artist. Gwir neu beidio, dim ond mater o amser yw hi cyn y cyfieithir darfelydd Beynon yn strwythur tri-deimensiwn o friciau a morter y gellir mynd i mewn iddo a cherdded o'i gwmpas.

Tybed a feddyliai Howard erioed am weld ei dyrau yn cael eu codi go iawn mewn priddfeini, pren, metal a gwydr? A ddymunai eu gweld nhw'n cael eu hadeiladu? Iddo ef, mae'n debyg eu bod mor real os nad yn fwy real na'r tai a'r adeiladau a'i hamgylchynai yn Aberdyddgu. Dim ond efe a wyddai am eu tu fewn – peth na ddarluniodd erioed.

24 Poen ar Raddfa Ryngwladol

ERS MARWOLAETH FY ngwraig, yn fuan ar ôl f'ymddeoliad o'r ysgol, mae gwaith Howard wedi bod yn gysur mawr i mi ac mae'r astudiaeth ohono, a llunio hyn o gofiant-draethawd, wedi llenwi'r oriau. Rhyfedd fel mae rhywun na chyfarfûm ag ef yn iawn erioed wedi dod yn rhan annatod o'm bywyd beunyddiol. Er nad wyf yn gwybod fawr mwy amdano nawr nag a wyddwn cyn i mi ddechrau f'ymchwil, teimlaf fy mod yn ei adnabod yn dda. Mae wedi dod yn ffrind i mi, yn gyfaill mynwesol – mwy na hynny, yn rhan o'm teulu. Eto i gyd, erys yn greadur rhithiol nad wyf yn gyfarwydd â'i wyneb, hyd yn oed.

Mae'r hyn rwy'n ei ddeall am Howard wedi dod nid trwy hel yr ychydig o wybodaeth ffeithiol a dogfennol sydd gen i am ei fywyd, ond drwy syllu ar ei ddarluniau. Dyna lle mae personoliaeth Howard. Trwy ei luniau y mynegodd ei hun mewn modd na allai ei wneud ar lefel gymdeithasol. Nid myfi yw'r unig un sy'n teimlo, wrth edrych ar y darluniau hyn o adeiladau rhyfedd a swynol (nad ydynt yn bodoli yn unman), taw person hyfryd ac annwyl a dymunol oedd Howard. Mae ei luniau'n cyfleu tangnefedd ac mae rhai o'i edmygwyr yn priodoli iddynt neges heddychlon i'r byd.

Mae gan rai ddamcaniaeth taw *empath* oedd Howard. Mae empathiaid yn gallu teimlo poen pobl eraill yn eu cyrff. Nid poen un unigolyn sydd wrth law, eithr poen ar raddfa ryngwladol. Rhaid i'r unigolion arbennig ac anghyffredin hyn ymcilio i lefydd pellennig lle mae'n haws byw gyda'r boen, er nad oes modd iddynt ddianc rhagddi'n llwyr. Os yw'r syniad yma'n wir am Howard, fe allai fod yn esboniad am odrwydd ei gymeriad, ei anallu i gymryd rhan naturiol mewn cymdeithas, a'i angen i encilio ac ymynysu. Ni allai fynd i fyw mewn coedwig neu ar ben mynydd, fel ambell empathiad ond fe allai adeiladu amddiffynfeydd yn ei ddychymyg. Roedd ei ddarluniau'n gaerau lle y câi ef seintwar rhag holl ryfeloedd a chasineb a dioddefaint y byd. Roedd pob tŵr a ddarluniodd yn gaer o gariad, yn noddfa iddo ef yn bersonol; ond y mae pob un yn ein croesawu ni, fel petai, i fynd i mewn i'r tyrau i ymuno â Howard.

Efallai fod y dehongliad yma yn gyfoglyd o sentimental, ond i mi mae'n gwneud synnwyr perffaith.

25 Yma y Ganed yr Artist

MAE CRIW O drigolion y dref hon – trigolion, sylwer, nid brodorion – wedi penderfynu ei bod yn hen bryd inni gael arddangosfa fawr arolygol o waith J Howard Beynon. Maen nhw wedi ffurfio pwyllgor. Fe'm gwahoddwyd i fod yn is-lywydd er anrhydedd, ac yn aelod oes o Gymdeithas J Howard Beynon Aberdyddgu. Fe'i derbyniais. Y llywydd yw'r artist lleol Lloyd Vawer, er nad oedd ganddo affliw o ddiddordeb yng ngwaith Beynon cyn hynny, hyd y gwn i. Mae 'na ddau is-lywydd arall, hoelion wyth y dre. Y cadeirydd yw'r cynghorydd Joe Godwin (pwy arall?) y cyn-faer a mab Tommy Godwin, yr hwn a gafodd y fraint o gael tynnu'i lun gyda Howard – ac ar gorn hynny mae gan Joe ddiddordeb personol yng ngwaith a bywyd Howard, meddai fe. Yr ysgrifenyddes yw Mrs Bys-ym-Mhob-Brywes Meilir Williams-Wilkins. A'r trysorydd yw Mrs Carys Winton, sy'n gweithio yn un o fanciau'r dref.

Rhaid canmol eu hegni a'u heffeithiolrwydd. Maen nhw eisoes wedi cael yr Hen Goleg a'r Amgueddfa i gydsynio i ddangos rhai o luniau Beynon. Nawr maen nhw'n cysylltu â phob oriel fawr ac â'r unigolion sy'n berchen ar rai o weithiau'r artist. Mae rhai o'r pwyllgor yn dechrau pryderu fod y cynllun yn "ormod o goflaid" i dre fechan fel Aberdyddgu, wrth iddyn nhw feddwl am holl broblemau yswirio a sicrhau diogelwch eitemau mor werthfawr. Ond mae ceffylau blaen y pwyllgor yn benderfynol ac yn llawn brwdfrydedd anniffoddadwy.

Mae gan y dre hawl ddiymwâd, medden nhw, i arddangos gweithiau pwysicaf Beynon, os nad y cyfan ohonynt. Yma y ganed yr artist ac yma y crewyd ei waith.

Yn anochel, y mae peth gwrthwynebiad i'r sioe fawr arfaethedig (2021 yw'r flwyddyn ddiweddaraf i gael ei chlustnodi, ar ôl i nifer o luniau gael eu haddo i arddangosfeydd eraill yn 2010; un yn Rhufain, un yn Oslo ac un yn Amsterdam). Ysgrifennwyd llythyron i'r papurau lleol yn dweud fod digon o broblemau parcio yma fel y mae hi, heb gael torfeydd o ymwelwyr ar ben y twristiaid arferol. Eraill yn gofyn ble mae'r holl bobl yma'n mynd i aros. Ond pelicaniaid yn yr anialwch oedd y lleisiau hyn, gyda'r holl siopau, gwestyau a llefydd bwyta sydd wedi buddsoddi yn enw Beynon fel atynfa i'r dre yn croesawu'r prosiect gyda breichiau agored. Prin yw gwir edmygwyr Howard a'i waith ymhlith y bobl hyn sydd â'u llygaid ar y geiniog yn unig.

Er fy mod yn is-lywydd y gymdeithas, fy nhuedd yw cadw draw o'r cyfarfodydd a'r trafodaethau sydd, yn amlach na pheidio, yn dirwyn i ben gyda sawl un yn mynd benben â'i gilydd a gweiddi nes eu bod yn groch a'u hwynebau'n biws. Yn ôl traddodiad y pwyllgor Cymreig, y mae hyn yn siŵr o arwain at rwyg ac wedyn at rwygiadau o fewn y rhwyg.

26 Peiriannau sy'n Creu Diwylliant

MAE RHAI, WRTH weld darluniau J Howard Beynon, yn eu cymharu â phosau pensaernïol labarynthaidd M C Escher. Cymhariaeth annysgiedig, yn fy marn i, wa'th does dim ond tebygrwydd arwynebol rhwng y ddau. Beth bynnag, mae Beynon yn artist yn yr un dosbarth â Picasso, Van Gogh a Matisse, fel y prawf gwerth ei luniau, tra bod Escher yn ddim byd mwy nag anomali go ddiddorol, poblogaidd, fel Dalí a Jeff Koons.

Fe ofynnwyd i mi dro yn ôl a oes gan waith Beynon unrhyw werth neu arwyddocâd athronyddol, metaffisegol neu wleidyddol. Y tu ôl i'r cwestiwn synhwyrais feirniadaeth. Gan na chymerodd Beynon erioed unrhyw ran mewn trafodaethau, nac mewn gwleidyddiaeth, nac mewn gweithred, onid oedd ei waith yn amddifad o unrhyw oblygiadau ehangach? Nid wyf yn credu fod yn rhaid i artist gymryd rhan yn y byd mawr i fod â neges, neu rywbeth i'w ddweud wrth y byd. Mae'n wir nad oes tystiolaeth fod gan Howard unrhyw ddaliadau gwleidyddol na chrefyddol, a saif ei waith y tu allan i unrhyw syniadaeth amlwg. Ond yn ei amharodrwydd i ymwneud â'r byd y ceir ei arwyddocâd, yn fy marn i. Y mae ei dyrau diwladwriaeth a heb wleidyddiaeth na diwylliant – neu, yn hytrach, heb gysylltiadau diwylliannol (ni ddylid synio amdanynt fel pethau diddiwylliant, eithr fel peiriannau sy'n creu eu diwylliant eu hunain, diwylliant newydd) – y mae ei dyrau, sy'n cael eu codi y tu allan i bob map gwladol a chenedlaethol, fel petai, yn feirniadaeth hallt ar bob trefn a system. Yn yr un modd, a'r hyn sydd yn fwy arwyddocaol, hyd yn oed, yw fod ei adeiladau'n ymwrthod â phob crefydd; ni cheir arnynt nac ynddynt yr un groes Gristnogol na seren Iddewig na chilgant Islamaidd, nac unrhyw symbol a berthyn i unrhyw grefydd na chwlt nac enwad. Dengys yr absenoldeb yma feirniadaeth eto ar holl grefyddau'r byd, ac yn fwy na hynny, y mae Beynon wedi llwyddo i ddylunio byd newydd amgen nad yw'n dibynnu ar unrhyw hen syniadau. Y mae, fel petai, yn dweud fod yma gartref inni i gyd a does dim angen yr hen strwythurau; gallem fyw heb ofni'r hen dduwiau, nad ydym yn dibynnu ar yr hen reolwyr arallfydol nad oeddynt yn bodoli beth bynnag. Does yna yr un hen ŵr penwyn barfog yn y cymylau a'n creodd, sydd wedyn yn ein rheoli weithiau, weithiau ddim, ac sy'n ein cosbi am dramgwyddo'i reolau, ac sydd, fe honnir, yn hollalluog ac eto nad yw'n gallu dileu dioddefaint. Er ei fod, fel yr honnir, yn cynrychioli cariad, y mae ei ddilynwyr bob amser yn cweryla, neu yn lladd ei gilydd, yn lladd eu hunain trwy lapio bomiau wrth eu cyrff er mwyn lladd miloedd o rai eraill yn ei enw ef. Felly, oes, y mae arwyddocâd i waith Howard Beynon.

27 Nodyn Personol

RHAID I MI ddod â nodyn personol i mewn i hyn o draethawd, ac ymddiheuraf ymlaen llaw am wneud hynny. Hyd yn hyn rwyf wedi gwneud pob ymdrech i gadw fy hun allan o'r drafodaeth, gan fod gweithiau academaidd lle mae'r awdur yn defnyddio'r rhagenw personol cyntaf unigol yn rhy aml yn wrthun i mi. Ond y mae rhywbeth wedi codi sy'n taflu cysgod du o amheuaeth dros fy mwriad i ddod â'r cofiant-draethawd yma i derfyn gorffenedig cyflawn. Am fod y newyddion hwn yn effeithio'n uniongyrchol ar fy ngwaith ar-y-gweill yr wyf yn tynnu sylw ato yn y fan hon yn unig, nid er mwyn ennyn cydymdeimlad (nad yw ac na fydd o unrhyw werth i mi) ac nid fel esgus dros unrhyw wendidau a geir ynddo.

Y mae doctoriaid wedi canfod cancr yn fy nghorff. Ni fûm i'n teimlo'n holliach ers tro, ond nid oeddwn i'n poeni; wedi'r cyfan, rhaid i mi wynebu'r ffaith fy mod yn fy saithdegau, saith deg pedwar a bod yn fanwl, ac wedi cael iechyd go lew ar y cyfan. Nid wyf yn poeni amdanaf fi fy hun; cleddais fy ngwraig sawl blwyddyn yn ôl a does gen i ddim plant. Yr unig beth sy'n peri gofid i mi yw na chaf i gwblhau'r prosiect yma ac na chaf wneud cyfiawnder â Howard Beynon a'i waith. Y mae arnaf ddyled fawr i Howard, fel y nodais eisoes – ers fy ymddeoliad ac ar ôl marwolaeth fy ngwraig, lluniau Howard sydd wedi llenwi f'oriau ac wedi rhoi pwrpas i'm bywyd. Dechreuaf feddwl am luniau Howard wrth godi yn y bore, meddwl am ei waith a'i fywyd sydd yn mynd â'r diwrnod, ac wrth hwylio i fynd i'r gwely gyda'r nos, tyrau a chestyll Howard sydd ar fy meddwl.

Dro yn ôl teimlwn fod y gwaith hwn yn agos at gael ei bennu; nid oedd mwy i'w ddysgu am fywyd Howard ac nid oedd mwy i'w ddweud am ei waith. Ond yn awr teimlaf fy mod ar drothwy darganfyddiadau newydd. Y mae f'ymchwil wedi fy nhywys i lwybrau a gerddodd Howard na ŵyr neb arall amdanynt, ac mae hynny'n agor y posibilrwydd o ddod o hyd i ychwaneg o'i weithiau sydd heb eu catalogio. Fy unig ddewis a'm dymuniad yw bwrw ymlaen gyda'r gwaith hyd y gallaf.

28 Storm Eira

YN UN O siopau'r dre 'ma, sydd wedi gwerthu ei henaid i dwristiaeth ar gorn J Howard Beynon, gwelais un o'r pethau bach gwydr 'na â dŵr ynddo, ac wrth ei droi ar ei ben a'i siglo cynhyrchir storm eira fechan. Ac yn y peth gwydr safai *façade* un o dyrau Howard; hynny yw, copi o un o'i ddarluniau. F'ymateb cyntaf oedd i deimlo mai dyma'r fersiwn mwya cyfoglyd o ddi-chwaeth o waith Howard a welswn, hyd yn hyn. Gwerthid y storm eira am £3.95. Dwn i ddim faint o'r pethau bach 'ma sy'n cael eu gwerthu, na faint o elw sy'n cael ei wneud o'u gwerthu.

Yna fe ddechreuais hel meddyliau am bobl fel Howard a Van Gogh yn gorfod crafu bywoliaeth a byw fel llygod; Van Gogh yn methu cael neb, bron, i gymryd ei luniau, a Howard yn gwynto baw dynol bob dydd wrth lanhau toiledau brwnt a sgwrio graffiti aflan oddi ar y waliau. Bellach mae eu lluniau'n gwerthu am filiynau, a chaiff copïau ohonynt eu gwerthu'n rhad ar hyd a lled y byd, ac arian mawr a mân yn mynd i lawer o bocedi a dim wedi mynd i bocedi'r artistiaid.

Estynnodd fy nicter wedyn i artistiaid cyfoes sydd, yn wahanol i Howard a Van Gogh, wedi dysgu sut i ecsploitio'r farchnad ryngwladol fawr, nid yn unig pobl fel Tracey Emin a'i gwely ffiaidd bondigrybwyll a Damian Hirst a'i loi mewn fformaldiheid (nid annhebyg i'r storm eira – tybed a oes modd cael llo bach plastig mewn storm eira *à la* Damien Hirst sy'n gwerthu am £3.95 i foddhau ffans yr artist na allent fforddio'i loi go iawn?), ond artistiaid fel Lucien Freud sy'n cael pum miliwn am ei beintiadau, ac yntau ar dir y byw o hyd, peintiadau go gonfensiynol sydd yn ddim byd mwy na phortreadau realistig go lew.

Ond mewn byr o dro fe olchodd y don yma o lidiowgrwydd drosodd ac oerodd fy soriant snobyddlyd. A gwelais yn glir y gwahaniaeth rhwng Howard (a gwir artistiaid tebyg iddo) a'r bobl sy'n prynu ei waith am arian mawr, a phobl sy'n cymryd mantais ar waith pobl greadigol, a'r bobl sy'n gorfod prynu storm eira â llun gan Howard ynddi, a'r artistiaid o ddynion a menywod busnes fel Hirst ac Emin a Freud. Pe buasai Howard yn fyw heddiw ac yn gallu gwerthu'i luniau am filiynau o bunnoedd, mae'n eithaf posib na werthai mohonynt ac y cariai ymlaen i weithio yn y cyfleusterau cyhoeddus. Dyna'r gwahaniaeth rhwng Howard a'r Saatchis ac Emin a Freud. Doedd dim angen miliynau o bunnoedd ar Howard oherwydd ni chreodd yr un o'i luniau er mwyn gwneud arian nac i geisio enwogrwydd. Roedd ei waith a'i awydd i weithio yn fwy gwerthfawr iddo na'r arian. Ac ni fyddai Howard wedi prynu tai mawr crand na cheir na dillad nac wedi casglu gweithiau celf, hyd yn oed. Nid am ei fod yn sant nac yn asgetig – oherwydd, fel y gwelsom, ni choleddai Howard unrhyw syniadau crefyddol – eithr am nad oedd yn ddyn materol, ariangar.

Ac onid dyma wir ystyr pob celfyddyd gwerth sôn

amdani? Onid yw pob artist a llenor a cherddor yn wrthwynebydd llwyr i fateroliaeth? Onid yw celfyddyd yn antidôt i wenwyn Mamon? Dengys y gweithiau celf pwysicaf, hynny yw y gweithiau sy'n codi o hanfod eu creawdwyr, nad pethau materol sy'n arwyddocaol yn ein bywydau o gwbl, eithr pethau dyfnach, y pethau sy'n ein gwneud ni'n ddynol ac yn feidrol, y pethau haniaethol: cariad, serch, tristwch, unigrwydd, llawenydd, ofn, teimladau, emosiynau.

Ac felly, sylweddolais na fyddai'r storm eira a'i ddarlun ynddi ar werth am £3.95 wedi poeni dim ar Howard. Dim ond y fi a'm gwerthoedd dosbarth canol oedd wedi ei dramgwyddo. Felly, fe brynais y storm eira.

29 Cyd-ddealltwriaeth

AMANUENSIS. YCH-A-FI, MAE'R gair wastad yn dwyn Delius-ddall ac Eric Fenby i'm meddwl, diolch i ffilm affwysol Ken Russell, bondigrybwyll. Ond, dro yn ôl, bu'n rhaid imi wynebu'r ffaith na allwn gario ymlaen â'r gwaith yma ar fy mhen fy hun. Y brif broblem yw'r teimlad o wendid a diymadferthwch blinderus ar ôl sesiwn o driniaeth chemotherapi. Mae'n wir bod fy nerth yn dod yn ôl bob yn dipyn bach, ond wedyn mae'n bryd cael sesiwn arall, a sesiwn arall. A rhaid edrych ymlaen ymhellach. Hyd y gwela i, mater o arafu'r anochel yw'r driniaeth yma. Yn nes ymlaen fe ddaw amser pan na fyddaf yn adennill fy nerth, ac os bydd yr awydd i weithio yn dal i gyniwair ynof, dyna pryd y bydd angen amanuensis arnaf.

Mae Mrs Meilir Williams-Wilkins wedi bod yn galw yma'n gyson ar ran pwyllgor CJHBA er mwyn i mi gael y newyddion diweddaraf ynghylch y trefniadau gogyfer yr arddangosfa fawr. Ni ofynnais iddi ddod, ac ar y dechrau roeddwn i'n ei gweld hi'n dipyn o niwsans. Ond weithiau deuai hi â menyw ifanc arall gyda hi, aelod o'r pwyllgor, sef Catrin Baldwin. Gallwn weld fod Miss Baldwin yn fenyw effeithiol iawn a chanddi sgiliau ysgrifenyddol da gan ei bod yn gymorth mawr i Mrs Williams-Wilkins. Ar ôl i mi gwrdd â hi nifer o weithiau fe ddysgais ei bod hi wedi ymuno â'r pwyllgor am fod ganddi wir ddiddordeb yng ngwaith a bywyd J Howard

Beynon. Mewn sgyrsiau â hi deallais ei bod hi wedi darllen Pierpoint, Mazillius, Curbishley a Quartermaine, ac ar ben hynny darllenasai erthyglau diarffordd ond pwysig fel yr rhai hynny gan Czerwonobroda, Murch, Tullett, Martinez a Smyrell. Ac roedd ganddi ei barn annibynnol ei hun. Doedd hi ddim yn derbyn unrhyw honiad am fod rhyw awdurdod hunanapwyntiedig wedi ei ddatgan.

"Mae syniadau Pierpoint yn rhy simplistig," meddai. "Mae'n neidio i gasgliadau heb unrhyw dystiolaeth, heb ddim byd i gadarnhau ei dadleuon, ac mae'r cyfan yn rhy hawdd, rhy amlwg, rhy bopiwlistaidd."

Roeddwn i'n licio Miss Baldwin, felly fe ddisgrifiais fy sefyllfa; fy mod i'n dost, weithiau'n dost iawn, ac yn debygol o fynd yn dostach cyn bo hir. A fyddai hi'n barod i'm helpu ac i gydweithio â mi? Fe eglurais nad oeddwn ei hangen hi yn syth bìn gan fy mod i'n dal i weithio'n iawn, ond gorau po gynted y deuem ni i sefydlu system o gydweithio a dod i nabod ein gilydd. Felly, fe wahoddais Miss Baldwin ("Galwch fi'n Catrin," meddai) i ddod yma i weld a allwn i arddweud rhai o'm syniadau wrthi. Gwyddwn drwy Mrs Williams-Wilkins ei bod hi'n gallu cymryd geiriau i lawr yn rhwydd iawn – nid dyna'r broblem – ond a allwn i gyfansoddi syniadau yn fy meddwl a'u llefaru yn lle'u ffurfio ar bapur mewn llawysgrifen fel yr wyf i wedi arfer gwneud ar hyd f'oes?

Hyd yn hyn, nid wyf yn hollol siŵr o'r ateb i'r cwestiwn yma. Nid oedd yr arbrawf yn un cwbl lwyddiannus ac mae Catrin o'r farn y bydd rhaid i mi dreio sawl gwaith eto cyn y dof i'n fwy cyfforddus gyda'r drefn. Mae'n ddieithr ar hyn o bryd. Mae hi wedi awgrymu fy mod i'n ceisio cadw syniadau yn fy mhen yn lle'u taro nhw lawr ar bapur ar ffurf nodiadau rhwng nawr a'r tro nesa mae hi'n dod, ac wedyn bydd gen i fwy o ddeunydd yn barod y pryd hynny. Syniad call iawn. Ac rwyf i o'r farn y byddaf yn gwneud gwell defnydd o'i gwasanaeth pan ddaw hi'n fater o raid imi, nid yn fater o ddewis.

Y diwrnod o'r blaen fe wahoddais Catrin draw. Roeddwn i'n dechrau dod ataf fy hun ar ôl sesiwn o driniaeth chemotherapi ac felly yn teimlo'n dost a diegni. Serch hynny, bûm yn gweithio ar y nodiadau yma ac er mwyn ysbarduno fy hun roeddwn i wedi dodi llun Alwyn ar wal y lolfa a'i adael yno pan alwodd Catrin (fel rheol byddaf yn cuddio'r llun bob tro y daw rhywun i'r tŷ). Pan ddaeth hi i mewn fe sylwodd ar y llun, a rhoi ei hwyneb o fewn modfeddi iddo er mwyn craffu arno'n fwy manwl. Fe wyddai'n syth taw llun gwreiddiol gan Howard oedd hwn ac ni allai gredu fod un ohonynt yma yn y tŷ. Roeddwn i wedi gadael y llun yno i'w phrofi fel hyn, a dweud y gwir. Ac roedd hi wedi pasio'r prawf dan ganu. Wedyn fe ddywedais wrthi sut y daeth y darlun i'm meddiant i. Dywedais hefyd fy mod i'n credu fod lluniau gwreiddiol eraill gan Howard heb eu catalogio i'w cael yn y dref. Roeddwn i'n ymddiried yn llwyr ynddi, er nad oeddwn i'n ei nabod hi'n dda iawn eto.

Syllodd Catrin ar y darlun am funudau bwygilydd heb ddweud gair, fel petai hi'n ceisio'i sugno i mewn i'w chorff ei hun drwy'i llygaid. Ymhen tipyn dywedodd taw hwn oedd y cyfle cyntaf a gawsai i edrych ar un o luniau go iawn Howard. Gwelsai ei waith yng Nghaerdydd ac yn Llundain, meddai, mewn orielau mawr ac fel rhan o arddangosfa, ond y troeon hynny bu'n ymwybodol o bobl eraill o'i chwmpas a'r rheiny yr un mor awyddus â hithau i sefyll o flaen y darlun a'i astudio a bu'n ymwybodol o amser hefyd. Gyda'r llun hwn yn fy nghartref i doedd dim byd yn pwyso arni i frysio ymlaen. Nac oedd, meddwn i; croeso iddi edrych arno drwy'r dydd pe dymunai.

Wrth gwrs, roedd hi wedi craffu ar argraffiadau o waith Howard, ac ar atgynyrchiadau da ohonynt mewn llyfrau, ond roedd llun go iawn yn wahanol; gallai weld marciau bach ei bwyntil, effaith ei linellau ar y papur, symudiadau llaw'r artist, a dyma'r gwahaniaeth rhwng y llun ei hun a chopi ohono – roedd y llun ei hun yn byw ac yn fyw. Roedd llaw yr artist yn dal i symud, fel petai. Hefyd, aeth hi ymlaen, fe deimlai fod modd mynd i mewn i lun gwreiddiol, peth nad oedd yn bosibl yn achos yr argraffiad gorau, hyd yn oed. Teimlai y gallai hi symud i mewn i'r llun ac ymgolli ynddo.

Cydymdeimlwn â'r teimlad yma, nad oedd yn deimlad braf bob amser. Weithiau, meddwn i, fe deimlwn fod yna beryg o fynd ar goll ynddo a methu dod yn ôl i'r byd go iawn. Teimlad a roddai i mi dipyn o bendro ar brydiau, mor hudol oedd gwaith Howard. Fe ddeallai Catrin y profiad yna, meddai. Ond, meddwn i, fe âi'r pyliau heibio ac mae dyn yn dod ato'i hun wrth sefyll o flaen y darlun dan ryfeddu.

Fe deimlai Catrin fod arni awydd dod yn ôl i edrych ar y llun yma er mwyn ei ddysgu, fel petai. Dywedais fod croeso iddi wneud hynny, er nad oeddwn i eto'n meddwl fy mod i wedi dysgu'r llun; hynny yw, doeddwn i ddim wedi dod i'w ddeall yn llawn, ddim yn gallu'i amgyffred yn llwyr, ar ôl i mi'i astudio bob dydd ers blynyddoedd.

Ar ôl iddi fynd, fe deimlwn yn annifyr. Er bod cryn dipyn o gyd-ddealltwriaeth rhyngom ni ar lefel reddfol, ac er fy mod wedi mwynhau rhannu fy nghariad tuag at waith Howard â rhywun a oedd yn gydgyfranogol, fe deimlwn fod yma elfen o fygythiad. Pa fygythiad? A oedd Catrin yn debygol o geisio dwyn y llun liw nos, neu efallai yn fwy tebygol o geisio dwyn perswâd arnaf i'w adael iddi yn f'ewyllys? Nid oedd y naill beth na'r llall yn fy mhoeni o gwbl, ond wrth adael i rywun arall ddod i mewn i'r byd roeddwn i'n byw ynddo'n ddirprwyol, fel petai, drwy waith Howard, roeddwn i'n ildio gormod o'm hanfod i berson arall. Gwaith Howard oedd fy mara beunyddiol, mewn ffordd; peth na allwn ei rannu â neb. Pe byddwn yn gadael i Catrin helpu gyda'r myfyrdod yma, yn fuan byddwn i'n mynd yn ddiangen, yn ormodol, a byddai hynny'n hyrwyddo fy niwedd. Felly, fe benderfynais nad oedd gen i ddim dewis ond i gario ymlaen heb unrhyw gymorth hyd y diwedd.

Ffoniais Catrin Baldwin ac erfyniais arni i beidio â dweud wrth neb am lun Alwyn ac ymddiheuro gan roi'r esgus na allwn arddweud fy syniadau, dim ond eu ffurfio wrth eu hysgrifennu mewn llawysgrifen ar bapur. Ac roedd peth gwirionedd yn yr esgus yma.

30 Mabinogi Howard

UN O DDIRGELION mawr gwaith J Howard Beynon yw'r ffaith na cheir dim byd tebyg i brentisiaeth ganddo. Dengys ei weithiau cynnar bron yr un soffistigeiddrwydd ac aeddfedrwydd â'i luniau pan oedd yn ei anterth. Yn wir, ni cheir unrhyw anterth fel y cyfryw. Gresyna sawl sylwebydd ar ei waith na ddatblygodd Howard odid ddim yn ystod ei yrfa. Rhyfedda eraill at gysondeb ei safon uchel ddigyfnewid o ddechrau hyd ddiwedd ei oes artistig. Mae rhai (Quartermaine, Mazillius, Pierpoint) yn dyfalu fod Howard wedi arbrofi a dysgu llawer yn ystod ei blentyndod, ond bod ei holl *juvenilia* wedi diflannu, wedi cael ei ddifetha ganddo ef ei hun neu gan ei dad Edward, o bosibl. Nid yw'n gredadwy, meddent, fod Howard wedi dechrau tynnu lluniau mor gywrain a chymhleth heb fynd drwy ryw fath o ddisgyblaeth. Er bod artistiaid eraill, fel Picasso a David Jones, wedi dangos gallu rhyfeddol ers eu plentyndod a chŷn iddynt gael hyfforddiant. Mae'r damcaniaethau ynghylch yr addysg gynnar goll yma'n niferus, ond hyd nes inni ddod o hyd i dystiolaeth wreiddiol o waith y cyw arlunydd, rhaid inni fod yn ochelgar cyn derbyn un o'r dyfaliadau ansicr hyn.

Er fy mod yn gorfod cytuno â'r farn gyffredinol na cheir unrhyw gyfnodau clir yng ngwaith Howard (dim byd y gellir ei gymharu â chyfnodau 'glas' a 'pinc' Picasso, er enghraifft, ac eithrio'i benderfyniad i gynnwys cefndir o 1978 ymlaen), yn ddiweddar bûm yn canolbwyntio ar y lluniau hynny sy'n dyddio o flynyddoedd olaf ei fywyd ac rwyf wedi dod i'r casgliad fod yma newid yn naws ei dyrau. Wrth sôn am naws – term niwlog iawn, yn anffodus – yr ydym yn rhedeg i gors o broblemau. Sut i ddiffinio'r naws yma, os oes yna newid yn y lluniau, beth yn union sy'n gyfrifol amdano. Nid wyf yn gallu dweud fod yna wahaniaeth mesuradwy. Nid yw'r ffenestri na'r drysau na'r balconïau na siâp y tyrau eu hunain yn dangos unrhyw amrywiad amlwg. Ond yn bendant, credaf fod effaith y lluniau olaf – yr ugain llun cyn marwolaeth Howard, efallai – yn consurio teimladau newydd ynom, teimladau neu ymateb sydd ychydig yn wahanol i effaith ei luniau eraill arnom.

Neu ynteu myfi sy'n gallu uniaethu â hwy mewn ffordd newydd oherwydd fy nghyflwr presennol? A synhwyrai Howard fod ei ddiwedd wrth law? Bu farw'n sydyn, heb unrhyw rybudd; hyd y gwyddys, ni fu'n dost, ni fu'n cwyno nac yn gweld ei feddyg. Mae'r dystiolaeth yma wedi arwain rhai ohonom i feddwl fod marwolaeth Howard yn gwbl annisgwyl, hyd yn oed iddo ef ei hun. Ond mae'n bosib fod pethau'n wahanol o'i safbwynt ef, a'i fod wedi cael amcan fod rhywbeth o'i le. Hwyrach ei fod e'n teimlo'n dost, yn wannach nag arfer, neu na theimlai ei fod cant y cant yn gyffredinol. Yn wir, rwy'n siŵr nawr fod ganddo ryw amcan fod ei amser yn brin. A gwelaf hynny yn y lluniau olaf, mae'n rhan o'u naws anniffinadwy.

Yn y darluniau hyn rwy'n gweld rhywbeth nad wyf yn gallu ei ddisgrifio ond fel bodlondeb. Nid yw'r tyrau olaf hyn yn *'yearning towers'* chwedl Michelle Pierpoint. Maent yn dyrau diddig, dedwydd sy'n ildio, fel petai, ac yn derbyn popeth. Does dim ofn ynddynt nac ansicrwydd. Caer stoig, er enghraifft, yw 'Tŵr' (Blann, 352) sy'n sefyll yr un mor gadarn â phob un o'i ddarluniau cynharach. Ond y mae yma gadernid tawelach, os yw hynny'n bosibl, a dyma lun a orffennwyd ychydig wythnosau'n unig cyn i'r artist farw. Yn yr un modd mae 'Tri Thŵr' (Blann, 340) yn ein gwahodd i fynd i mewn i'w distawrwydd llawen, cyflawn. Mae pob un o'r gweithiau diweddar yn rhoi cysur mawr i mi – mwy nag unrhyw grefydd. Maent yn onestach ac yn fwy uniongyrchol. Does dim jibo, dim osgoi'r gwir. Rwy'n cael hyn o'r lluniau a dynnodd Howard tua diwedd ei oes ond ddim yn y lluniau cynharach.

Diweddglo

GAN DDYN O'R enw Matsuo Ishigawa y ceir y casgliad mwyaf cyflawn a chynhwysfawr o 'Beynoniana'. Yn ei fflat bach yng nghanol Tocïo y mae Matsuo wedi hel popeth sydd a wnelo â J Howard Beynon; pob llyfr ar waith yr artist sy'n cynnwys atgynyrchiadau o'i luniau (ym mhob iaith); gorchuddir waliau ei ran-dŷ â phrintiadau a phosteri o luniau Howard wedi'u fframio, cardiau post a chardiau cyfarchion. Ac yn ogystal â'r pethau digon chwaethus hyn ceir yr ephemera di-ben-draw; y pethau-pwyso-papur, y crysau-t, y storm eira, yr egopau, yr hambyrddau; wrth ochr cyfrifiadur Matsuo Ishigawa gwelir y mat llygoden ac arno lun o un o dyrau Howard; yn anochel, ar flanced ei wely mae un o luniau Howard, ar ei glustogau ar ei soffa, ar ei dywelion yn y stafell ymolchi y mae lluniau Howard; magnedau'n glynu wrth ddrws ei oergell ar ffurf tyrau Howard, ar y lliain sychu llestri – ac yn y blaen ac yn y blaen. Amcangyfrifa Matsuo Ishigawa fod ganddo dros chwe mil o eitemau, o bedwar ban byd, o bob math, ac arnynt gopïau o luniau J Howard Beynon. Mae ymroddiad Matsuo Ishigawa yn ddibrin odiaeth ac yn ymylu ar fod yn grefyddol. Gwaria Matsuo bob ceiniog (hynny yw, beth bynnag sy'n cyfateb i geiniog yn Siapan – maddeuer f'anwybodaeth) pob ceiniog sbâr sydd ganddo ar ei hobi, gan brynu llawer o bethau drwy e-bay. Gweithia Matsuo Ishigawa mewn swyddfa drethi enfawr yn Tocïo ond ei wir alwedigaeth yw ei helfa Beynoniana.

Gwelais erthygl ar Matsuo Ishigawa yn un o gylchgronau'r papurau Sul gyda lluniau ohono, ynghyd â'i gasgliad rhyfeddol. Mae Matsuo wedi ymweld â sawl arddangosfa fawr o waith Beynon, yn ôl yr erthygl, gan gynnwys pob un a ddaeth i Tocïo a hefyd ar ei ymweliadau, ar ei wyliau, â gwledydd eraill. Mae wedi gweld gwaith Howard ym Mharis, Milan, Efrog Newydd a Berlin. Er mawr syndod i mi (er bod y peth yn gwbl resymegol o feddwl amdano) daeth Matsuo Ishigawa i Aberdyddgu yn 2005 fel anrheg pen-blwydd deugain oed iddo ef ei hun a thynnu lluniau â'i gamera bach ohono ef ei hun ym mhob llecyn a chanddo gysylltiad â Howard, gan gynnwys y toiledau cyhoeddus lle bu'r artist yn gweithio ar hyd ei oes. Trueni na wyddwn i ddim am y gŵr bonheddig hynod hwn a'i gariad at bethau Howard, nac am ei ymweliad ag Aberdyddgu. Digon posib i'n llwybrau groesi heb yn wybod i ni'n dau, fel y croesodd llwybrau Howard a finnau heb yn wybod, diau.

Rwy'n edmygu Matsuo Ishigawa. Beth a'i symbylodd i gasglu pethau â chopïau o waith Howard arnynt? Nid buddsoddiad mohonynt, gan fod y rhan fwyaf o'r eitemau'n ddigon rhad ac wedi'u mas-gynhyrchu, er bod ganddo ambell ddarn sy'n brinnach ac felly'n fwy gwerthfawr na'i gilydd. Nid yw cyflog Matsuo Ishigawa yn caniatáu iddo brynu pethau costus; serch hynny, nid yw'n dymuno gwario'i arian sbâr ar ddim byd arall. Mae'n well ganddo gael mwy o Beynoniana na chynilo er mwyn cael fflat gwell neu gar neu gyfrifiadur mwy. Yr unig esboniad am yr hyn sy'n ei ysbrydoli yw ei gariad tuag at waith Howard. Yn y cyfweliad ag ef yn yr erthygl honno, dywed Matsuo Ishigawa mai cael un o luniau gwreiddiol J Howard Beynon a byw yn ei bresenoldeb yw ei unig freuddwyd.

Rwy'n deall Matsuo Ishigawa. Rydyn ni'n gyd-eneidiau er nad ydyn ni wedi cwrdd erioed. Cariad at waith Howard sydd wedi f'ysgogi i lunio hyn o draethawd bach anhrefnus a thameidiog, heb unrhyw obaith o gael tâl na gwobr. Nid ysgolhaig mohonof wedi ei gyflogi gan brifysgol, yn gwneud yr ymchwil yma gyda'i lygad ar ennill pwyntiau a sêr i'w adran. I'r gwrthwyneb, ni chefais unrhyw nawdd na chefnogaeth o gwbl, dim ond cytundeb gyda gwasg fechan i gyhoeddi'r gwaith yn y Gymraeg gyda chyfieithiad Saesneg i ddilyn. Ac erbyn hyn ofnaf na chaiff y gwaith ei gwblhau na'i gyhoeddi.

Bu J Howard Beynon a'i waith (ei waith yn bennaf) yn gydymaith ffyddlon i mi mewn profedigaeth ac, yn ddiweddar, mewn salwch a gwendid. Yn yr un modd roedd ei waith yn gynhaliaeth i Howard ei hun. Drwy gyfrwng ei waith y goroesodd Howard – ei waith oedd ei fywyd a'i fywyd oedd ei waith. Rhywbeth tebyg yw casgliad Matsuo Ishigawa. Does dim pwrpas i fywyd, ond yr ydym yn cynysgaeddu bywyd â phwrpas.

Ddoe fe baciais y llun gwreiddiol gan Howard a ddaeth i'm meddiant i dros dro drwy ryfedd wyrth, a'i ddanfon ar long i Siapan at Mr Matsuo Ishigawa. Bydd ef, hyderaf, yn ei werthfawrogi'n fwy na neb.

J Howard Beynon: Llyfryddiaeth Ddethol

Curbishley, D, *The Uninhabited Towers of J Howard Beynon* (Harmmondsworth, 2003)

Czerwonobroda, Anna M, 'The Building of the Organic: "Trees" in the Drawings of J Howard Beynon', yn *Transactions, 3rd International J Howard Beynon Symposium* (Denver, 2003)

Garvey, Emma, 'Towards an Understanding of Beynon – the Connection with Merlin' yn *Progress: The Journal of J Howard Beynon Studies* (Efrog Newydd, 2005)

Gaunza, Jowan de, 'The Configuration of Windows in the Buildings Drawn by J Howard Beynon', yn *Progress: The Journal of J Howard Beynon Studies* (Efrog Newydd, 2006)

Herbert, Amber, *Pointing to Heaven: Experiences of God and Healing with the Pictures of J Howard Beynon* (Llundain, 2001)

Hewitt, Cornelius, 'The Finding of a Great Hoard of Pen and Ink Drawings by an Outsider' yn *The Painter* (Exeter, 1993)

The Work of J Howard Beynon [Catalog Arddangosfa Oriel Hewitt a Lythgoe, Haf 1996], (Llundain, 1996)

Index of work by J Howard Beynon, J R Blann (gol.) (Caergrawnt, 2005 –)

Kember, Charlotte, J Howard Beynon, *A Modern Bartleby* (Efrog Newydd, 2004)

Mazillius, Anthony, *Changes: Phases and Development in the Mysterious Drawings of J Howard Beynon* (Efrog Newydd, 2001)

Mazillius, Anthony, 'Points of Similarity, Points of Difference' yn *Transactions 4th International J Howard*

Beynon Symposium (Salisbury, 2004)

Martinez, S A, 'Repetitions and Variations in the Work of J Howard Beynon' yn *Transactions 4th International J Howard Beynon Symposium* (Denver, 2004)

Morgan, Mihangel, 'Gwaith J Howard Beynon' yn *Barn* (Llandybïe, Mehefin 1998)

Murch, Christopher, 'Unfinished Pieces' yn *Transactions* 2nd International J Howard Beynon Symposium (Denver, 2002)

Pierpoint, Michelle, *Yearning Towers: Architecture as Symbol and Sexual Code in the Drawings of J Howard Beynon* (Llundain, 1999)

Quartermaine, N J, *J Howard Beynon* [:] *A Hidden Life* (Rhydychen, 2002)

Rhodes, Colin, *Outsider Art [:] Spontaneous Alternatives* (Llundain, 2000)

Smyrell, Sonya, 'A Question of Influences on the Architectural Drawings of Beynon' yn *Progress: The Journal of J Howard Beynon Studies* (Denver, 2006)

Tullett, Rebecca, 'The Question of the Uncompleted Pieces' yn *Transactions 3rd International J Howard Beynon Symposium* 2003

Ten Years; A Retrospective Exhibition to Celebrate the Discovery of the Work of J Howard Beynon (Llundain: Tate Modern, 2006)

Am restr gyflawn o nofelau cyfoes
Y Lolfa, a'n holl lyfrau eraill, mynnwch gopi
o'n catalog rhad – neu hwyliwch i mewn i'n
gwefan:

wwww.ylolfa.com

lle gallwch archebu llyfrau ar lein

Talybont Ceredigion Cymru SY24 5AP
ebost ylolfa@ylolfa.com
gwefan www.ylolfa.com
ffôn 01970 832 304
ffacs 832 782